Monika Frei-Herrmann

Mein kulinarisches Erbe

Traditionelle Rezepte
Schritt für Schritt fotografiert

Wer nach bewährten Rezepturen kocht und hochwertige Zutaten verwendet, kann unbeschwert genießen. Der gesundheitliche Wert von traditionellen Rezepten wird auch von der Wissenschaft bestätigt.

Schritt für Schritt beschreibt und fotografiert die Quell-Fotografin erprobte, überlieferte aber auch raffiniert selbst erfundene Rezepte: Von Alltagsgerichten, Suppen, Salaten, Gemüse, Eier- und Mehlspeisen, Geflügel, Fleisch oder Fisch bis zu Süßem und Kuchen ist alles dabei.

Monika Frei-Herrmann

**Kochen und Genießen
gehört zu den großen Leidenschaften
der Quell-Gestalterin und Fotografin.
In einem handgeschriebenem Kochbuch
sammelte sie seit Jahrzehnten Rezepte:
von der badischen Großmutter Pauline,
der Mutter, der Schwiegermutter,
den Tanten aus Hessen, von Freundinnen
und Kollegen, aus Kochkursen, bis
hin zu den Jahren in der Schweiz.
Hauptsache unkompliziert, wenig Zutaten,
schnell zubereitet und sehr, sehr lecker.**

Quell
Edition

Impressum

1. Auflage 2018

© 2018 Quell Verlag GmbH

Saalgasse 12, 60311 Frankfurt

T 069 - 21 99 49 40

F 069 - 21 99 49 42

www.quell-online.de

info@quell-online.de

Lektorat: Claudia Schwarzmaier

Fotografie und Gestaltung:

Monika Frei-Herrmann, www.frei-herrmann.de

Autorenfotos:

Sonja Herrmann Seite 1 und Rückseite,

Ute Prang Seite 5, Martina Guthmann Seite 176

Druck und Bindung:

Printfinder, www.printfinder.lv

Papier: 200 g/m2 Tom & Otto Silk

ISBN 978-3-9819936-0-8

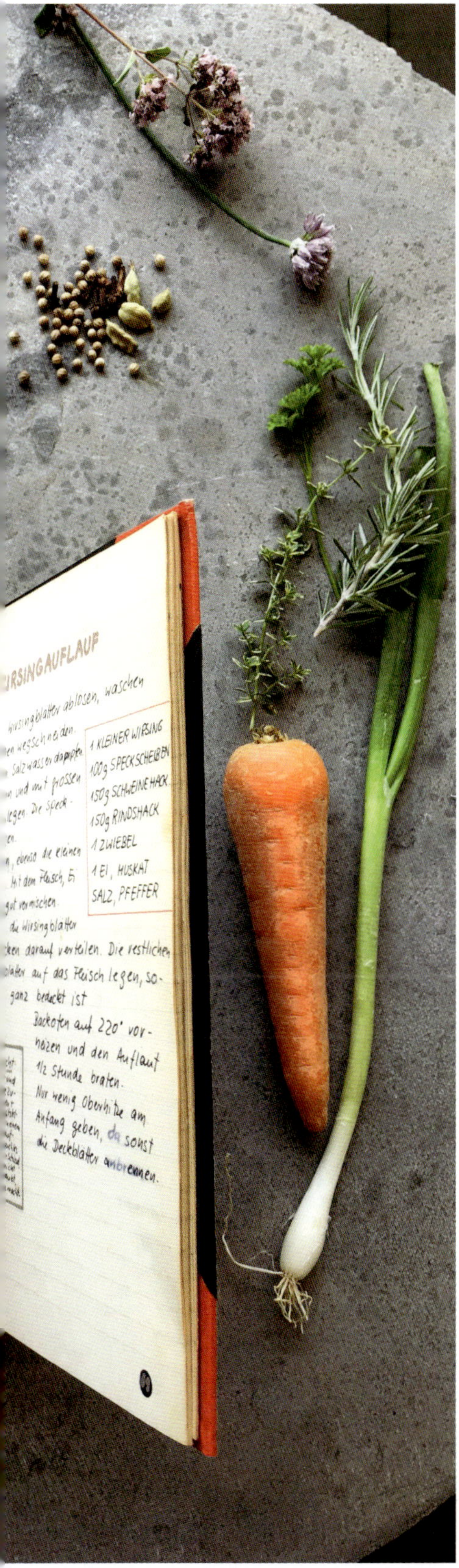

INHALT

TRADITIONELLE KÜCHE

Über Generationen entwickelt

Ich kann mich noch gut an ein Interview mit Barbara Temelie erinnern, in der die Ernährungsexpertin und Erfolgsautorin meine damaligen Glaubenssätze in Sachen Ernährung auf den Kopf stellte. Südfrüchte, so erklärte sie mir unter anderem, sind nicht für Frauen geeignet, die unter Antriebsschwäche, kalten Händen und Füßen leiden. Und sie hatte dafür auch eine einleuchtende Erklärung. Bananen und Orangen wachsen in tropischen Gefilden und für heiße Gegenden erfüllt dieses Obst auch absolut seinen Zweck: nämlich den Menschen Kühlung zu verschaffen. Nicht aber für das winterkalte Deutschland, in dem viele Menschen sowieso schon genug frieren. Ein fröstelnder Mensch beschwört mit Orangen geradezu Erkältungskrankheiten herbei, statt sie zu verhindern. Trotz Vitamin C.

Barbara Temelie ist eine der Pionierinnen, die hierzulande die ungewöhnlichen Erkenntnisse der chinesischen Gesundheitslehre propagierten. Dazu gehört zum einen, die thermische Qualität von Lebensmitteln zu berücksichtigen, aber auch das uralte Prinzip der fünf Geschmacksrichtungen: süß, scharf, salzig, sauer, bitter. In einem bekömmlichen Gericht sind all diese fünf Geschmacksrichtungen enthalten.

Immer wieder macht die Ernährungsexpertin die erstaunliche Feststellung, dass viele traditionelle Rezepte der einheimischen Küche den chinesischen Ernährungs-Prinzipien entsprechen. Mit heimischen Lebensmitteln lassen sich die Grundprinzipien der chinesischen Gesundheitslehre wunderbar umsetzen. So gehört, um nur zwei Beispiele zu nennen, gekochtes Rindfleisch ebenso wie Hühnersuppe zu den kraftvollsten Mitteln, wenn es darum geht, geschwächte Energien zu stärken. Besonders zu empfehlen sind laut Barbara Temelie

Gemüse und Fleisch der Saison, das bedeutet im Herbst beispielsweise Kürbis, Lauch, Rotkohl oder Rindfleisch.

Von Medizin und Wissenschaft bestätigt

Das Interview mit Barbara Temelie führte ich vor mehr als 20 Jahren und was sich damals so revolutionär anhörte, wird nun immer mehr von Ernährungswissenschaft und Medizin bestätigt. In ihrem Diskurs über traditionelles Kochwissen und gesunden Genuss kommen beispielsweise der Allgemeinarzt Gunter Frank, der Professor für Pharmazeutische Biologie Michael Wink und die Sterneköchin Léa Linster zu dem Ergebnis: Wer nach klassischen Rezepturen mit hochwertigen Zutaten und handwerklicher Kompetenz kocht, kann mit ungetrübter Freude genießen. In dem Buch „Karotten lieben Butter" berichtet der Allgemeinarzt Gunter Frank aus seiner Praxis: „In den letzten 20 Jahren behandelte ich in meiner Sprechstunde unzählige Menschen mit Verdauungsbeschwerden. Es fällt auf, dass dies meist Menschen betrifft, die denken, sich besonders gesund ernährt zu haben, während es denjenigen, die sich eher traditionell ernähren, deutlich besser geht."

Denn über Generationen haben sich Methoden der Verarbeitung von Lebensmitteln heraus gebildet, die diese besonders bekömmlich machen. Dazu gehören die Kombination verschiedener Lebensmittel, Gewürze und die Art der Zubereitung. Es macht einen Unterschied, ob die Karotte roh ist oder gekocht.

Vorbild in Sachen Kochwissen

Seit ich Monika Frei-Herrmann kenne – und das ist schon länger als 20 Jahre – beeindruckt sie mich mit ihrer selbstverständlichen Art, die leckersten Gerichte zu kochen. Immer wenn ich sie in Köln besuche, um

etwa die neue Ausgabe von unserem gemeinsam entwickelten Magazin Quell zu besprechen, verwöhnt sie mich anschließend mit einem selbst gekochten Gericht. Das geschieht so mühelos, als wäre das nichts Besonderes. Und sie empfindet das auch selber so: Kochen ist ihr in Fleisch und Blut übergegangen. Irgendwann zeigte sie mir auch ihr selbst angelegtes Kochbuch. In akkurater Handschrift – die Überschriften liebevoll verziert mit Silberfarbe – bereichert durch viele Fotos, hatte sie Rezepte aus ihrer Familie und ihrem weitläufigen Freundeskreis zusammen getragen: Rezepte von ihrer Großmutter Pauline, ihrer Mutter und ihren Tanten Gotchen und Henny, aber auch von ihrem Exmann Aldo, ihrer Schwiegermutter Elsi, ihren Freundinnen Anita, Brigitta, Hetty, Karin, Ulrike, Angelika oder Teddy. Ihren Kollegen und Freunden Martin und Jochen; der neueste Zugang an Rezepten stammt wohl von ihrem Neffen Stephan.

Ich war hingerissen. Und konnte Monika überreden, ihre kulinarischen Schätze mit einem größeren Kreis als ihren Freunden zu teilen. Staunen Sie selbst und lassen Sie sich zum Nachkochen inspirieren. Es lohnt sich!

Andrea Tichy

Selbst gekocht und mit dem iPhone aufgenommen:

Nach der Vorlage ihres handgeschriebenen Kochbuchs hat Monika Frei-Herrmann alle Rezepte von diesem Buch Schritt für Schritt während des Kochens mit dem iPhone festgehalten. Das war manchmal geradezu akrobatisch, denn in der einen Hand hielt sie Pfanne, Löffel oder Messer und mit der anderen Hand fotografierte sie. Nur bei ganz wenigen Situationen war Assistenz nötig, dann nämlich wenn sie für einen Arbeitsgang beide Hände brauchte, etwa beim Abreiben einer Zitronenschale oder beim Zubereiten von Spätzleteig. Als anstrengend hat sie das ständige Händewaschen empfunden, denn das iPhone muss ja zum Fotografieren in einer sauberen Hand gehalten werden. Im Gegensatz zu klassischen Food-Fotos zeigen ihre Fotos das reale Resultat der Rezepte, das sich hinterher auch aufessen lässt. Ganz zur Freude ihrer Gäste.

Die Schnecken in Butter mit der feingehackten Escha lotte und dem Safran
andämpfen, mit Pernod oder Ricard
und wei...

16 SCHNECKEN	4 dl BOUILLON
2 EL BUTTER	1 dl RAHM
SAFRANPULVER	2 EIGELB
PERNOD/ RICARD	1 EL SCHNITTLAUCH
1 dl WEISSWEIN	ODER PETERLI

...ie feingehackte Eschalotte in Butter andämpfen. Den in Ringe
geschnittenen Lauch zugeben und kurz
anziehen lassen. Mit dem Weisswein
...blöschen und die Bouillon auffüllen.
...m Kochen bringen und die in Scheiben
geschnittenen Pilze zugeben. Auf

| 150 g PILZE |
| 1 STANGE LAUCH |
| 1 ESCHALOTTE |
| SCHNITTLAUCH |

Für die wunderbaren und köstlichen Gerichte, die ich für das Kochbuch nachkochen und fotografieren konnte, danke ich allen herzlich, die mir ihre Rezepte verraten haben. Besonderen Dank an meine Familie: meine Großmutter Pauline[1], meine Mutter Irmgard[2], meine Tanten Gotchen[4] und Henny[5], meinen Neffen Stephan[6]; meine Schweizer Familie mit Schwiegermutter Elsi[3] und Aldo[7], meine Freundinnen und Freunde Anita[8], Teddy[9], Brigitta[10], Angelika, Jochen, Hetty, Karin, Doris, Ulrike und Martin.

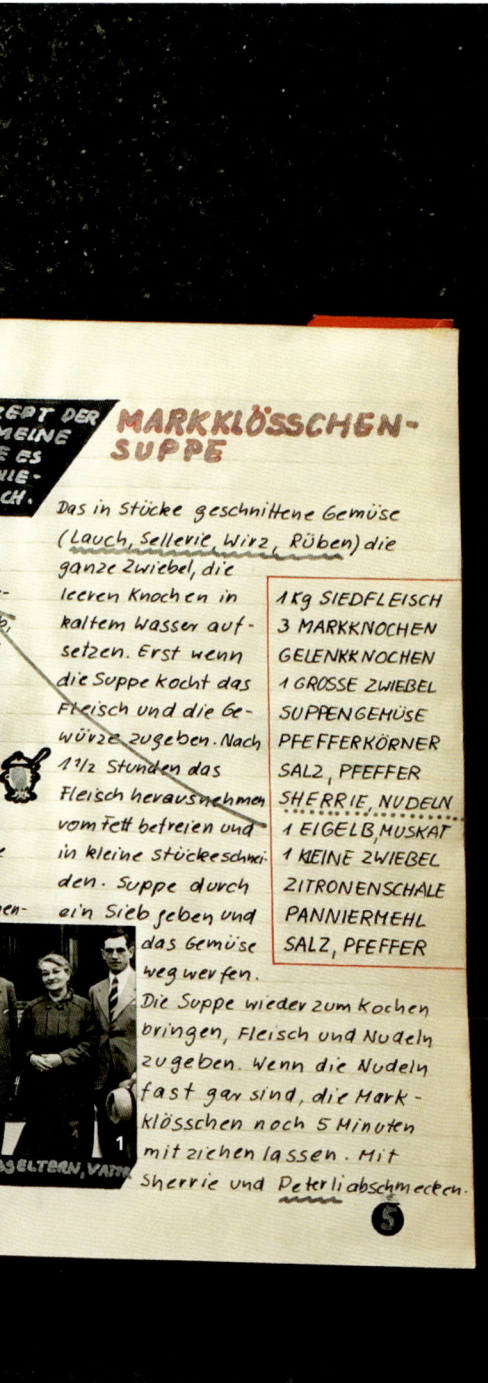

MARKKLÖSSCHEN-SUPPE

Das in Stücke geschnittene Gemüse (Lauch, Sellerie, Wirz, Rüben) die ganze Zwiebel, die leeren Knochen in kaltem Wasser aufsetzen. Erst wenn die Suppe kocht das Fleisch und die Gewürze zugeben. Nach 1½ Stunden das Fleisch herausnehmen vom Fett befreien und in kleine Stücke schneiden. Suppe durch ein Sieb geben und das Gemüse wegwerfen.
Die Suppe wieder zum Kochen bringen, Fleisch und Nudeln zugeben. Wenn die Nudeln fast gar sind, die Markklösschen noch 5 Minuten mit ziehen lassen. Mit Sherrie und Peterli abschmecken.

1 Kg SIEDFLEISCH	
3 MARKKNOCHEN	
GELENKKNOCHEN	
1 GROSSE ZWIEBEL	
SUPPENGEHÜSE	
PFEFFERKÖRNER	
SALZ, PFEFFER	
SHERRIE, NUDELN	
1 EIGELB, MUSKAT	
1 KLEINE ZWIEBEL	
ZITRONENSCHALE	
PANNIERMEHL	
SALZ, PFEFFER	

KULINARISCHE TRADITION

Mit Liebe und Leidenschaft

Warum ich als Grafikerin und Fotografin dieses Kochbuch mache? Aus Leidenschaft fürs Essen und fürs Kochen. Ich hatte viele Wegbegleiterinnen – meistens waren es Frauen – die mein kulinarisches Erbe vorgezeichnet haben.

Als erstes möchte ich meiner Großmutter Pauline danken. Sie hat die wunderbaren badischen Rezepte in unserer Familie kultiviert und in einem handgeschriebenen Kochbuch festgehalten. Mein Vater, ein Gourmet und Genießer, hat diese Rezepte weiter gegeben. Zunächst an seine Frau, meine Mutter. Sie war eine gelehrige Schülerin und pflegte die Familientradition weiter. Darüber hinaus war sie eine „nachhaltige" Hausfrau, die ihrer Zeit weit voraus war. Meine Mutter hat mich gelehrt, dass beste Qualität die Basis einer guten Küche ist. Schon früh hat sie mir beim Einkaufen auf dem Markt gezeigt, worauf zu achten sei, wann gute Qualität ihren Preis wert ist. Meine Mutter war berufstätig, hatte also wenig Zeit für den Haushalt, aber hohe Ansprüche an eine gesunde Ernährung und das bei sehr wenig Geld. Das setzte gute Planung, vorteilhaftes Einkaufen und viel Selbermachen voraus.

Als Kind musste ich freitags zum Fischhändler. Der Fisch wurde in Zeitungspapier eingewickelt und begann auf dem weiten Heimweg zu tropfen. Das letzte Stück trug ich das Einkaufsnetz am ausgestreckten Arm. Damals mochte ich keinen Fisch. Oder wir schleppten leere Flaschen zur Godesberger Quelle, um das gesunde Wasser zu holen. Wir tranken Mate Tee statt Limo oder Cola. Gekocht wurde immer frisch.

Im Alter von etwa 16 Jahren begann ich selber zu experimentieren. Damals kamen so fremdartige Gemüse wie Paprika, Zucchini und Auberginen auf den deutschen Markt. Schmeckte fremd, das Kochen gelang mir sicher auch nicht immer, mein Bruder und die Oma aus Hessen protestierten, aber meine Mutter ließ mich gewähren. In der „Frauenfachschule" lernte ich dann richtig kochen, begleitet von Ernährungswissenschaft und Haushaltsführung.

Kulinarischer Horizont

Meine erste Reise zusammen mit meinem Bruder quer durch Frankreich erweiterte meinen kulinarischen Horizont enorm. Wir wohnten in Jugendherbergen und kochten meist selbst. Zusammen mit jungen Franzosen sammelten wir auf den Klippen der Normandie Krebse, die in der Jugendherberge in einen Topf kochendes Wasser geworfen wurden. Wir schauderten und konnten die Krebse nicht essen. Beim Einkaufen stellten wir erstaunt fest, dass es in Frankreich für jede Fleischart einen extra Metzger gibt: für Rind/Kalb, Schwein, Pferd, Wild/Geflügel. Gelegentlich gingen wir auch in Restaurants essen, was auf dem Land sehr günstig und unwahrscheinlich gut war. Die „einfache" französische Küche beeindruckte mich sehr. Noch nie zuvor hatte ich solche Geschmackserlebnisse.

Mein Studium als Grafikerin und Fotografin an der Folkwangschule in Essen schloss ich mit einer Diplomarbeit über die EU-Marktwirtschaft ab. Eine Kampagne sollte die europäische Produktvielfalt mit dem jeweiligen Herkunftsland in Deutschland bekannt machen. Mit schönen Fotos von Auberginen, Fenchel, Paprika und Artischocken wollte ich diese unbekannten Gemüse vorstellen. Das war 1971 absolutes Neuland.

Mein handgeschriebenes Kochbuch

Von 1972 an lebte ich in der Schweiz, heiratete und arbeitete als Grafikchefin der Frauenzeitschrift ELLE. Fern von zu Hause begann ich meine Lieblingsrezepte in einem handgeschriebenen Kochbuch zu notieren. Ergänzt mit Fotos, Kommentaren und der Beschreibung, von wem ich die Rezepte hatte. Als Deutsche aus dem Rheinland wird man ja in der Schweiz erst mal belächelt. Nudelsalat, Sauerbraten, Reibekuchen – damit kann man nicht kommen. Punkten bei meinen Schweizer Freunden konnte ich dagegen mit den Rezepten meiner badischen Großmutter: Markklößchensuppe, Kalbsragout, Spätzle – das kam gut an.

Kochen, Essen und Genießen hat in der Schweiz einen hohen Stellenwert. Die Einladungen unter Freunden oder in der Familie sind eigentlich immer zum Essen. Ganz gleich, ob es nur „Gschwellti" gibt (Pellkartoffeln und Käse), Wähen (flacher Kuchen, Quiche) oder ein mehrgängiges Menü. Man spricht über das Essen, tauscht Rezepte und beeindruckt sich gegenseitig mit neuen Kreationen. Die Küche in der Schweiz ist breit und qualitätsbewusst angelegt. Man schätzt die eigenen Produkte aus der Milchwirtschaft, das gute Rindfleisch, das sehr gute Brot. Aber man orientiert sich auch an den Küchen der Nachbarländer: die italienische Küche ist allgegenwärtig, die französische Küche ist das Vorbild, die österreichische Küche ist ähnlich und vertraut. Ich habe begeistert die vielen Einflüsse aufgenommen, probiert, gelernt, nachgekocht, experimentiert. Meine Schwiegermutter Elsi hatte eine wunderbare Art, ihre Rezepte zu vermitteln. Sie zeigte mir, wie sie es machte. Gerne nahm ich ihre traditionellen Rezepte an, variierte selber und musste einsehen, dass ihre Art zu kochen durchdacht und fundiert war.

Ich besuchte Kochkurse: die Schweizer Küche, die italienische Küche, Küche auf der Alm, Gesund-Küche, Kräuter-Küche. Es ist leicht in der Gruppe zu kochen. Das Schwierigste war das Umsetzen eines japanischen Kochkurses. Im Kurs war alles ganz einfach. Aber zu Hause wurde ich einfach nicht fertig, die Vorbereitung der japanischen Gerichte braucht unendlich viel Zeit. Meine Gäste saßen abends um 22 Uhr immer noch vor leeren Tellern. Mit der Zeit hatte ich den Bogen raus, welche Rezepte mir leicht von der Hand gingen.

Andere Esskulturen

Eine intensive Bereicherung meines kulinarischen Horizonts erfuhr ich durch Reisen in andere Kulturkreise. Die beste Nudelsuppe mit Hühnchen habe ich in einer Garküche auf einer Straße in Jakarta genossen, den besten Hummer am Strand in Sri Lanka, vorzügliche Tortillas in Mexiko. Was mich aber am meisten begeisterte, waren die Vorspeisen, die es im Orient gibt. Viele Schüsselchen mit kleinen Leckereien: Salate, eingelegte Gemüse, pürierte Bohnen, Kichererbsen... Es ist phantastisch, was es an wunderbaren Gerichten gibt. Ich zolle jeder Köchin, jedem Koch, meinen Respekt, für die wunderbaren Rezepte, die in Tradition oder eigener Kreation entstehen. Kochen ist Lust und Leidenschaft, essen und genießen auch. Leider hat diese Völlerei auch eine unangenehme Nebenwirkung. Ich habe zugenommen.

Jeder Mensch isst anders

Ich gehöre zu den Frauen mit Gewichtsproblemen. Gut 30 Jahre lang stürzte ich mich mit viel Enthusiasmus auf jede neue Methode, Gewicht zu verlieren: Brigitte-Diät, Atkins, BCM-Ernährung und einige andere habe ich

ausprobiert – mit dem Erfolg, rasch Gewicht zu verlieren, das dann nach Erreichung des Idealgewichts noch rascher zurückkam. Die besten Erfahrungen habe ich mit der metabolic balance-Methode gemacht, die ich unter Anleitung der Münchner Heilpraktikerin Margret Jamin praktizierte. Im August 2009 machte ich darüber hinaus in Balderschwang im Balance Resort Ifenblick bei Küchenmeister Bernd Meyer einen Kochkurs, den ich auch mit der Kamera festhielt.

„Viel zu schade nur für den Eigengebrauch", fand die Redaktion, als ich die Fotos vom metabolic-balance Kochkurs präsentierte. „Das ist Material für ein ganzes Buch." Und so entstand 2010 mein erstes Kochbuch mit dem Titel „Jeder Mensch isst anders", das innerhalb kurzer Zeit drei Auflagen erlebte. Der Titel bringt die Erkenntnis des erfahrenen Küchenmeisters auf den Punkt: Die Geschmäcker der Esser sind unterschiedlich und jeder sollte auf die Stimme des eigenen Körpers hören. Dazu folgende Grundregeln: Wenig Kohlenhydrate, aber viel Obst und Gemüse der Saison essen und dem Körper hochwertiges Eiweiß in Form von Bio-Fleisch, Käse, Fisch oder Hülsenfrüchte zuführen.

Zurück zu den Wurzeln

Je mehr Erfahrung ich mit dem Kochen und Essen sammle, desto mehr komme ich wieder zurück auf die bewährten Rezepte, die ich in meinem handgeschriebenen Kochbuch festgehalten habe. Es sind Erinnerungen an meine badische, hessische und Schweizer Familie, an Freunde, denen ich auf meinen Lebensstationen begegnet bin. Heutzutage erleben derartige Rezepte wieder eine Renaissance, denn sie haben sich über ein lange Zeit bewährt und weiter entwickelt und ich freue mich, dass ich sie in diesem Kochbuch einem größeren Kreis präsentieren darf.

Monika Frei-Herrmann

AVOCADOSALA

Avocados der Länge nach halbieren, Ke
entfernen und Fruchtfleisch herauskn
Dieses mit Salatsauce, Mayonnaise, Zi
nensaft und Scampis vermischen.
Schüssel mit Salatblätte
auslegen und die mit
Mischung gefüllten Av
doschalen hineinleg
Mit gehackter Peters
Tomaten und den h
Eiern garnieren.

MUTTIS

GEFLÜGE

Gedünsteten Spargel und Ananas
tropfen lassen. Geflügelreste, Spar
nas und Äpfel in Würfel schne
nüssen grob hacken. Mayonaise
reiten: Eigelb und
schaumig rühre
MAYONAISE: das Öl nach u
1 EIGELB und Äpfelwürf
1 TL RUM Alles kalt st
1/8 l O Spargelwürfe

SALATE & DIPS

KOPFSALAT, DER KLASSIKER

Grüne Vielfalt – Vitamine satt

Kopfsalat – heute etwas aus der Mode gekommen – war früher der Klassiker und schmeckte in jeder Familie anders. Meine Mutter gab einen Löffel Honig in die Soße, Tante Gotchen würzte mit Zwiebel, Tante Henny mit frischem Dill.

Zutaten: für 4 Portionen: 1 Kopfsalat | **Dressing:** 1/2 Orange | 3 EL Olivenöl | 1 EL Zitronenöl | 4 EL weißer Balsamico | Pfeffer | Salz | **Variante 1:** 1 kleine Zwiebel | 1 Bund Kräuter (Dill, Petersilie, Schnittlauch) | Kresse | **Variante 2:** 1 EL Honig | 50 g Mozzarella | Gänseblümchen | **Variante 3:** 1 EL Senf | 3 Tomaten | 6 Blaubeeren | Rotebete-Sprossen

Zeit: Fertig in nur 14 Minuten

1.

2.

Den Kopfsalat zerteilen, putzen, große Blätter in mundgerechte Stücke rupfen, den harten Strunk herausschneiden. Salat waschen und trocken schleudern. **Dressing:** Orange auspressen, Öl, Balsamico und Gewürze mit einem Schneebesen aufschlagen, bis die Sauce emulgiert.

Variante 1 | Grün in Grün: Eine kleine Zwiebel schälen und sehr fein in Würfelchen schneiden. Dill, Petersilie oder Schnittlauch fein hacken und zusammen mit der Zwiebel und dem Dressing unter den Salat mischen. Als Farbnuance dunkle Kresse drüber streuen.

3.

4.

Variante 2 | Grün-Weiß: Den Honig zum Dressing geben. Mozzarella-Kugeln und Gänseblümchen über den Salat streuen. Mit der Pfeffermühle einmal nachpfeffern.

Variante 3 | Grün-Rot: Den Senf zum Dressing geben. Die Tomaten klein würfeln und zusammen mit den Blaubeeren unter den Salat mischen. Mit Rotebete-Sprossen bestreuen.

WILDKRÄUTER-SALAT

Selbstgepflückt

Essbare Wildkräuter sind lecker und ein Gesundheitskick. Mittags gepflückt ist der Gehalt an ätherischen Ölen am höchsten. Löwenzahn, Gänseblümchen, Giersch, Brennnessel, Bärlauch, Gundermann, Sauerampfer, Spitzwegerich, Kresse, Kapuzinerkresse, reich an Mineralien und Vitaminen, sprießen in Gärten, Wäldern und auf Wiesen.

Zutaten: für 4 Portionen: 250 g Wildkräuter | **Dressing:** 1 Zitrone oder 4 EL Apfelessig | 3 EL Olivenöl | Schwarzer Pfeffer | Salz | **Garnitur:** 8 Erdbeeren (1 Apfel) | 8 Radieschen | 6 TL Körnermischung |

Zeit: Fertig in 20 Minuten, das Kräutersuchen und -pflücken nicht mitgerechnet

1.

2.

Wildkräuter je nach Jahreszeit im Garten pflücken oder in der freien Natur sammeln. Blätter von den Stängeln zupfen, in mundgerechte Stücke rupfen. Die Wildkräuter sehr gründlich waschen und trocken schleudern.

Dressing: 1 Zitrone auspressen oder wahlweise den viel milderen Apfelessig, Olivenöl und die Gewürze mit einem Schneebesen aufschlagen, bis die Sauce emulgiert.

3.

4.

Garnitur: Erdbeeren und Radieschen waschen, vom Strunk befreien und in Scheiben schneiden. Oder wahlweise einen Apfel in kleine Stücke würfeln. Körnermischung (Kürbis- und Sonnenblumenkerne) im Mixer pürieren, würzen mit Salz, Pfeffer aus der Mühle.

Variante: Nicht immer ist es möglich, die ausreichende Menge an Wildkräutern zu finden. Dann einen Blattsalat mit einigen Wildkräuter ergänzen. Servieren mit einem kräftigen Vollkornbrot.

FELDSALAT IN 3 VARIANTEN

Fit im Winter

Feldsalat hat viele Namen, österreichisch Vogerlsalat, schweizerisch Nüsslisalat, auch Ackersalat, Mausohrsalat, Schafmäulchen, Sonnewirbele und natürlich Rapunzel. Der Salat lässt sich gut variieren, je nachdem, was da ist.

Zutaten: für 4 Portionen: 250 g Feldsalat | **Dressing:** 1/2 Orange | 3 EL Olivenöl | 1 EL Zitronenöl | 4 EL weißer Balsamico | Pfeffer | Salz | **Variante 1:** 1/2 Orange | 10 Walnüsse | 5 Radieschen | **Variante 2:** 30g rote Kresse | 1 kleine Zwiebel | **Variante 3:** 3 harte Eier | 1 EL milden Senf |

Zeit: Fertig in 20 Minuten

1.

Wurzelansätze vom Feldsalat entfernen, Feldsalat mehrmals waschen und trocken schleudern. **Dressing:** 1/2 Orange auspressen. Die Öle, den Balsamico und die Gewürze mit einem Schneebesen aufschlagen, bis die Sauce emulgiert.

2.

Variante 1 | Bunter Feldsalat: Die halbe Orange schälen, von den Häutchen befreien und in kleine Stücke schneiden. Radieschenscheiben zusammen mit dem Dressing unter den Salat mischen. Walnüsse hacken, in einer trockenen Pfanne kurz rösten drüber streuen.

3.

Variante 2 | Feldsalat mit Zwiebel: Eine kleine Zwiebel schälen und sehr fein in Würfelchen schneiden. Die Zwiebel zusammen mit dem Dressing unter den Salat mischen. Die Kresse über dem Salat verteilen. Mit der Pfeffermühle einmal nachpfeffern.

4.

Variante 3 | Feldsalat mit Ei: 1 EL Senf zum Dressing geben. Den Feldsalat mit dem Dressing mischen. Die Eier hart kochen, pellen, fein hacken und über dem Salat verteilen. Eine Prise Salz drüber streuen.

AVOCADO IN 3 VARIANTEN

Cremiger Genuss

Das Avocado-Rezept Variante 1 habe ich beim metabolic balance-Kochkurs von Bernd Meyer kennengelernt. Seitdem schätze und verwende ich Avocados in vielen Varianten, als Salat aber auch als Basis für Dips und Cremes.

Zutaten: für 4 Portionen: 1 Avocado | 1 Zitrone | **Dressing:** 3 EL Olivenöl | 1 EL Zitronenöl | 4 EL Apfelessig | Pfeffer | Salz | **Variante 1:** 6 TL Körnermischung (Kürbis- und Sonnenblumenkerne) | 1 Apfel | 1 Scheibe Vollkornbrot | Kresse | **Variante 3:** 250 g Krabben | 50 g Crème fraîche | 30 g rote Kresse |

Zeit: Fertig in 15 Minuten

1.

2.

Die Avocado halbieren, den Kern entfernen. Mit einem scharfen Messer erst längs, dann quer das Fruchtfleisch einschneiden. Klappt man die Schale um, lässt sich das angeschnittene Fleisch leicht in Würfeln herauslösen. Sofort mit Zitrone beträufeln.

Variante 1 | Avocado-Püree: Apfel schälen, entkernen, in kleine Stücke würfeln. Mit Avocadowürfel und Körnermischung im Mixer pürieren, würzen mit Salz, Pfeffer aus der Mühle, anrichten auf einer Scheibe Roggenvollkornbrot. Mit Kresse garnieren. Foto oben.

3.

4.

Variante 2 | Avocado-Scheiben: Eine Avocado schälen und in Scheiben anrichten. Mit Dressing beträufeln, dazu Schnittlauch und Pfeffer . **Dressing:** 1 Zitrone auspressen. Öle, Apfelessig und Gewürze mit einem Schneebesen aufschlagen, bis die Sauce emulgiert.

Variante 3 | Avocado mit Krabben: Die Avocadowürfel auf einer Platte verteilen. Mit Zitrone und etwas Zitronenöl beträufeln. Die Krabben mit dem Dressing und Crème fraîche mischen und über die Avocadowürfel gießen. Mit roter Kresse garnieren.

THUNFISCH-SALAT

Schnell gemacht

Thunfisch-Salat ist eines meiner Lieblingsrezepte seit meiner Studentenzeit. Es passt in den Single-Haushalt genauso wie als variantenreiche Vorspeise für ein Gäste-Essen. Hier zeige ich die deluxe-Ausführung des Salats. Aber er ist auch mit weit weniger Zutaten immer ein feines Gericht. Schnell gemacht als Salat oder als Belag auf einer Scheibe Brot.

Zutaten: für 2 Portionen: 1 Dose Thunfisch in Lake (220 g) | 1 rote Zwiebel | 1 Lauchzwiebel | 1 Tomate | 100 g Feldsalat | Kresse | **Beilagen:** 5 eingelegte Zwiebeln | 2 EL Kapern | je 6 schwarze + grüne Oliven | **Dressing:** | 2 EL Olivenöl | 1 EL Zitronenöl | 2 EL weißer Balsamicoessig | 1 EL Meerrettich | 1 EL Senf | Salz | Schwarzer Pfeffer | 1/2 Zitrone |

Zeit: Fertig in 20 Minuten

ANLEITUNG

1.

Zuerst alle Zutaten bereitstellen: Thunfisch, Tomate, Zwiebel, Lauchzwiebel, Feldsalat und die Beilagen: eingelegte Zwiebeln, Kapern, kernlose schwarze und grüne Oliven.

2.

Die Thunfisch-Lake in einem Sieb abtropfen lassen. Dann den Thunfisch zerpflücken und in eine Salatschüssel geben.

3.

Eine rote Zwiebel schälen und fein in Würfelchen schneiden. Die Zwiebeln zum Thunfisch geben.

4.

Etwas vom Zitronensaft zum Thunfisch geben.

5.

Die Tomate halbieren, die Hälften in Scheiben schneiden. Die Lauchzwiebel putzen und ebenfalls in Scheiben schneiden.

6.

Tomaten, Lauch und alle Beilagen zum Thunfisch geben. Alles gut mischen.

7.

Den Salat mit den Dressing-Zutaten mischen. Den Thunfischsalat mit Zitrone abschmecken und mit schwarzem Pfeffer aus der Mühle würzen.

8.

Den Feldsalat putzen, waschen und trocken schleudern. Feldsalat in einer Schüssel anrichten. Den Thunfischsalat darauf legen, mit Kresse garnieren, siehe Foto Seite 16.

THUNFISCH-SALAT – SO ODER SO

Als Variante kann der Thunfischsalat auf einem Brot angerichtet werden.

Thunfisch-Salat in einem See aus Grüner Soße (Rezept Seite 96) sieht nicht nur gut aus, es ergänzt sich geschmacklich ganz ausgezeichnet.

RINDFLEISCHSALAT + FRÜCHTE

Gaumenschmaus

Gab es bei meiner Mutter Sonntag mittags klare Fleischbrühe, bereitete sie für Gäste am Abend gerne einen Rindfleischsalat. Vielleicht war es auch umgekehrt. Damit es gekochtes Rindfleisch gab, wurde mittags Suppe gekocht.

Zutaten: für 4 Portionen: 400 g Suppenfleisch | 1 Möhre | 1 Apfel | 10 Weintrauben | **Dressing:** 1/2 Orange | Ingwer | 1 dl Brühe | 2 dl Sahne oder Crème fraîche | Worcester Soße | weißer Balsamico | Pfeffer | Salz | **Garnitur:** 3 Walnüsse

Zeit: Zubereitung: 35 Minuten | dann mindestens 30 Minuten ziehen lassen

1.

Das gekochte Suppenfleisch (siehe Seite 32) von Fett und Sehnen befreien. Das Fleisch in kleine Stücke, 2 x 2 cm, würfeln.

2.

Den Apfel schälen, vierteln und das Kerngehäuse entfernen. Dann die Apfelschnitze halbieren und in Würfel schneiden. Die Möhre schälen und ebenfalls in Würfel schneiden. Die Trauben halbieren und Kerne entfernen.

3.

Dressing: Ingwer schälen und reiben. 1/2 Orange auspressen. Brühe, Sahne und Gewürze vermischen.

4.

Das gewürfelte Rindfleisch mit den Früchten mischen. Nun das Dressing zugeben. Zugedeckt mindestens eine halbe Stunde ziehen lassen.

TAFELSPITZSALAT + AVOCADO

Pikant

Tafelspitz mit der milden Avocado verträgt als Ergänzung gut die scharfen Radieschen und reichlich Meerrettich. Das Dressing darf pikant abgeschmeckt werden. Den Salat kann man vorbereiten, dann ist er gut durchgezogen.

Zutaten: für 4 Portionen: 400 g Tafelspitz | 1 Avocado | 3 Radieschen | 1 Apfel | **Dressing:** 1 dl Brühe | 2 dl Sahne oder Crème fraîche | Zitronensaft | 1 EL Meerrettich | Worcester Soße | Tabasco | Crema Balsamico | Pfeffer | Salz |

Zeit: Zubereitung: 35 Minuten | dann mindestens 30 Minuten ziehen lassen

1.

Die Avocado halbieren, den Kern entfernen. Mit einem scharfen Messer erst längs, dann quer das Fruchtfleisch einschneiden. Klappt man die Schale um, lässt sich das angeschnittene Fleisch leicht in Würfeln herauslösen. Sofort mit Zitrone beträufeln.

2.

Die Radieschen in Streifen schneiden.
Den Apfel schälen, das Kerngehäuse entfernen und in kleine Stücke, 2 x 2 cm, würfeln.

3.

Das gekochte Suppenfleisch (siehe Seite 32) von Fett und Sehnen befreien. Das Fleisch in kleine Stücke, 2 x 2 cm, würfeln und unter den Salat mischen.

4.

Das Dressing zusammen mit dem Meerrettich über die Salatmischung gießen. Vorsichtig wenden. Zugedeckt mindestens eine halbe Stunde ziehen lassen.

GEFLÜGELSALAT + FRÜCHTE

Gaumenfreude

Das Lieblingsrezept meiner Mutter für Gäste am Abend. Geflügelfleisch hat einen zarten Eigengeschmack und lässt sich deshalb gut kombinieren: sowohl mit Früchten, als auch mit herzhaften bis scharfen Zutaten.

Zutaten: für 4 Portionen: 400 g Geflügel | 1/2 Mango | 1 Apfel | **Dressing** 1/2 Orange | Ingwer | 1 dl Brühe | 2dl Sahne oder Crème fraîche | 1 TL Mango-Chutney | Worcester Soße | weißer Balsamico | Salz | weißer Pfeffer | **Garnitur:** Rosen-Pfeffer | Petersilie | Gemüsechips oder Walnuss

Zeit: Zubereitung: 20 Minuten | dann mindestens 30 Minuten ziehen lassen

1.

2.

Suppenhuhn kochen (siehe Seite 36) und entbeinen. Davon 400 g Geflügel für den Salat von Haut und Sehnen befreien. Das Geflügelfleisch in kleine Stücke, 2 x 2 cm, würfeln.

Die Zutaten bereitstellen. **Dressing:** Ingwer schälen und reiben. 1/2 Orange auspressen. Brühe, Sahne und Gewürze vermischen. Den Apfel schälen, vierteln und das Kerngehäuse entfernen. Dann die Apfelschnitze halbieren und in feine Streifen schneiden.

3.

4.

Von der Mango entlang des Kerns eine Scheibe abschneiden. Mit einem scharfen Messer erst längs, dann quer das Fruchtfleisch einschneiden. Klappt man die Schale um, lässt sich das angeschnittene Fleisch leicht in Würfeln herauslösen.

Das gewürfelte Geflügelfleisch mit den Früchten mischen. Nun das Dressing zugeben. Zugedeckt mindestens eine halbe Stunde ziehen lassen. Mit Rosen-Pfeffer, Petersilie und Gemüsechips (oder Walnusskerne) garnieren.

GEFLÜGELSALAT MIT SENF

Schnell und unkompliziert

Dieser herzhafte Geflügelsalat lässt sich auch von einer Hühnerbrust schnell zubereiten. Dazu die Brust in Schnitzel schneiden und in heißem Öl auf beiden Seiten anbraten. In einer Minute ist das Fleisch gar.

Zutaten: für 4 Portionen: 400 g Geflügel | 150 g Erbsen | 2 EL grüner Pfeffer | **Dressing** 1 dl Brühe | 2 dl Crème fraîche | Zitronensaft | 2 EL gekörnter Dijon-Senf | 2 EL milder Senf | 1 TL Meerrettich | Worcester Soße | Tabasco | Crema Balsamico | Pfeffer | Salz | **Garnitur:** Zitrone | Petersilie | 3 Tomaten

Zeit: Zubereitung: 25 Minuten | dann mindestens 30 Minuten ziehen lassen

1.

2.

Die Zutaten für den Geflügelsalat mit Senf-Dressing bereitstellen. **Dressing:** Zwei Senfsorten, Brühe, Crème fraîche und Gewürze vermischen. Eine Zitrone auspressen und zum Dressing geben.

Das Geflügelfleisch in kleine Stücke, 2 x 2 cm, würfeln. Das Dressing über das Geflügelfleisch gießen. Zugedeckt mindestens eine halbe Stunde ziehen lassen.

3.

4.

Von den Erbsen und dem grünen Pfeffer einen Löffel voll für die Garnitur beiseite stellen. Die Erbsen und den grünen Pfeffer unter den Geflügelsalat mischen.

Drei kleine Tomaten für die Garnitur halbieren. Eine Zitrone in Scheiben schneiden. Petersilie hacken. Den Salat mit Tomaten, schwarzen Oliven und Zitronenscheiben garnieren. Erbsen, grünen Pfeffer und Petersilie drüber streuen.

LINSEN-SALAT

Party-Hit

Mein Lieblingsrezept für Gäste bei Festen. Die Chicorée-Blätter eignen sich auch als Löffel für Finger-Food.

Zutaten: für 4 Portionen: 150 g Beluga Linsen | 500 ml Gemüsebrühe | Suppengemüse | 2 Lorbeerblätter | Salz | 1 Möhre | 1 Apfel | 1 Tomate | 6 Gürkchen | **Dressing:** 4 EL Olivenöl | 2 EL Gurkenwasser | 1 TL Honig | 1/2 Zitrone | 2 EL weißer Balsamico | 2 EL Gabriellas Salatsauce oder 1 EL milder Senf | 1 EL Meerrettich | weißer Pfeffer | Salz | **Garnitur:** Chicorée | Petersilie | schwarze Oliven

Zeit: Zubereitung: 30 Minuten | dann mindestens 30 Minuten ziehen lassen

1.

Linsen in einem Sieb unter fließendem Wasser abspülen. Die Linsen in einem halben Liter Gemüsebrühe zusammen mit Suppengemüse und Lorbeerblätter 20 bis 25 Minuten bissfest kochen. Brühe abschütten, Suppengemüse entfernen

2.

Möhre und Apfel schälen und in kleine Würfel schneiden. Eine Tomate und die Gürkchen ebenfalls klein schneiden. Das Gemüse unter die gekochten, abgetropften Linsen mischen.

3.

Dressing: Die Dressing-Zutaten gut vermischen und mit einem Schneebesen aufschlagen, bis das Dressing dickflüssig wird.

4.

Das Dressing mit dem Linsensalat vermischen und eine halbe Stunde ziehen lassen. Dann den Salat in einem Sieb von der überflüssigen Soße abtropfen lassen.Chicorée-blätter auf einer Platte auslegen, Linsensalat darüber verteilen, mit schwarzen Oliven dekorieren.

WURST-SALAT

Schlicht und einfach

Wer kennt ihn nicht, den Wurst-Salat. Als Kind habe ich ihn geliebt und später war er die Basis von jeder Studenten-Party. Es gibt ihn in unzähligen Kombinationen, eine davon ist diese knackig frische Variante.

Zutaten: für 4 Portionen: 50 g Nudeln | Salz | 250 g Knoblauchwurst | 2 Zwiebeln | Sellerie | 1 Möhre | **Dressing:** 4 EL Olivenöl | 1 TL Honig | 1/2 Zitrone | 2 EL weißer Balsamico | 2 EL Gabriellas Salatsauce oder 1 EL milder Senf | 1 EL Meerrettich | weißer Pfeffer | Salz |

Zeit: Zubereitung: 20 Minuten | dann mindestens 30 Minuten ziehen lassen

1.

Nudeln in Salzwasser 8 Minuten bissfest kochen, abschütten, in einer Schüssel kalt werden lassen. Zwiebeln, Möhre und Sellerie schälen und in ganz kleine Würfelchen schneiden.

2.

Das Gemüse unter die gekochten, abgetropften Nudeln mischen. Ein paar Tropfen Öl dazugeben, damit die Nudeln nicht aneinander kleben.

3.

Die Knoblauchwurst in Würfel schneiden.
Dressing: Die Dressing-Zutaten gut vermischen und mit einem Schneebesen aufschlagen, bis das Dressing dickflüssig wird.

4.

Die Wurstwürfel zum Salat geben. Das Dressing mit dem Wurstsalat vermischen und eine halbe Stunde abgedeckt im Kühlschrank ziehen lassen.

THUNFISCH-PASTE

Vielseitig und schnell gemacht

Thunfisch-Paste ist ein All-Rounder in der Küche. Nicht nur schnell zubereitet, sondern auch lecker und beliebt. Passt zu Vielem: zu Kalbfleisch (Vitello Tonnato) oder Rind (Tafelspitz), zu Salat, als Dip oder als Brotaufstrich. Die Paste lässt sich auch ganz spontan machen, da die Zutaten gut als Vorräte gehalten werden können.

Zutaten: für 4 Portionen: 1 Dose Thunfisch in Lake (220 g) | 1 Dose Sardellenfilet | 2 EL Olivenöl | 1 kleine Zwiebel | 2 EL Kapern | 100 g Schmand | 1 EL Meerrettich | Salz | Pfeffer | 1 Bio-Zitrone | Petersilie oder Schnittlauch |

Zeit: Fertig in 20 Minuten

ANLEITUNG

1.

Zuerst alle Zutaten bereitstellen: Thunfisch, Zwiebel und die Gewürze. Dann auch die Kochutensilien: Schneidebrett, scharfes Messer, Pürierstab.

2.

Die Thunfisch-Lake in einem Sieb abtropfen lassen. Dann den Thunfisch zerpflücken und in eine Rührschüssel geben.
3-4 Sardellenfilets abwaschen, abtrocknen und in kleine Stücke schneiden. Zum Thun geben.

3.

Eine kleine Zwiebel schälen und fein in Würfelchen schneiden. Die Zwiebeln zum Tunfisch geben.

4.

Die unbehandelte Bio-Zitrone waschen, abtrocknen und dann die Schale abreiben. Anschließend die Zitrone auspressen. Zitronenschale und etwas vom Zitronensaft zum Thunfisch geben.

5.

Die Petersilie – oder wahlweise den Schnittlauch – fein hacken, zum Thunfisch geben.

6.

Nun die Kapern, Schmand, Meerrettich und Gewürze zum Thunfisch geben. Mit dem Pürierstab mixen, bis es eine feine Paste ist. Mit Zitronensaft, Salz und Pfeffer abschmecken.

DAS PASST DAZU

Vitello Tonnato
Vitello Tonnato ist leicht und schnell gemacht, wenn die Thunfisch-Paste schon da ist. Kalbsbraten gibt es fertig zu kaufen. Vier hauchdünne Scheiben mit Thunfischpaste bedecken, mit Kapern bestreuen.

Avocado
Avocado mit Thunfisch-Paste passt sehr gut zusammen. Eine Avocado halbieren, schälen und in Scheiben schneiden. Mit Zitrone beträufeln, mit Salz und Pfeffer würzen. Thunfisch-Paste über der Avocado verteilen, mit Kapern bestreuen.

Brotaufstrich
Thunfisch-Paste ist ein vorzüglicher Brotaufstrich. Passt genauso gut zu Baguette wie zu Toastbrot oder einem rustikalen Bauernbrot. Paste dick auf dem Brot verteilen, mit Kapern bestreuen.

Tafelspitz
Auch zu gekochtem Rindfleisch passt Thunfisch-Paste sehr gut. Einfach als Dip dazu reichen oder als Fleischsalat anrichten.

TOMATEN-DIP MIT APRIKOSEN

Eine himmlische Verbindung

Aus dem Basis Dip lässt sich im Handumdrehen eine Soße oder Suppe zaubern. Der frittierte Salbei ist ein Muss.

Zutaten: für 4 Portionen: 4 reife Tomaten (oder Dosentomaten) | Olivenöl | 2 Zwiebeln | 150 g getr. Aprikosen | 1 dl Weißwein | 1 EL Tomatenmark | Gemüsebrühe | 2 EL Apfelessig | 1 EL Crema Balsamico | Zimt | Pfeffer | Salz | 4 Salbeiblätter | **Variation:** je nach Verwendungszweck die Flüssigkeitsmenge anpassen. Dip: 1 dl Gemüsebrühe | Soße: 2,5 dl Gemüsebrühe | Suppe: 5 dl Gemüsebrühe

Zeit: Fertig in 35 Minuten

1.

Eine Zwiebel schälen und sehr fein hacken. Die getrockneten Aprikosen in kleine Stücke schneiden.

2.

In einer Pfanne das Olivenöl erhitzen. Die Zwiebeln und Aprikosen zugeben und anbraten. Das Tomatenmark zugeben, gut mischen und mit dem Weißwein ablöschen. Etwas einköcheln lassen.

3.

Die reifen Tomaten mit kochendem Wasser überbrühen, häuten und kleinschneiden. Oder Dosentomaten verwenden. Die Tomaten zugeben, mit Gemüsebrühe (Menge je nach Verwendungszweck Dip, Soße oder Suppe) auffüllen und 20 Minuten köcheln lassen.

4.

Die weichgekochten Tomaten-Aprikosen mit einem Pürierstab mixen. Mit Zimt, Essig, Crema Balsamico, Salz und Pfeffer abschmecken. Salbeiblätter hacken, frittieren und drüber streuen.

DREIERLEI ROTE PAPRIKA-DIPS

Scharfe Verführung

Paprika ist eine scharfe Basis für einen Dip. Mit verschiedenen Zutaten lassen sich gleich mehrere Dips zaubern.

Zutaten: für 3 Portionen: 3 rote Paprika | Bratöl | 1 dl Weißwein | 1 Orange | 1/2 Zitrone | 2 EL Weinessig | 2 EL Honig | Pfeffer | Salz | 1 Chilischote | Paprika- oder Chilipulver |
Abschmecken: Dip 1: Majoranblätter | Dip 2: 2 EL Crème fraîche, 2 EL gehackte Petersilie, 1/2 Zitrone | Dip 3: 2 EL Crema Balsamico, 6 schwarzen Oliven |

Zeit: Fertig in 25 Minuten

1.

Paprika vom Kerngehäuse befreien und in große Stücke schneiden. Pfanne erhitzen, Bratöl zugeben. Paprika in heißem Öl anbraten und wenden, den Weißwein zugeben und bei großer Hitze schnell verdampfen lassen. Hitze reduzieren. Nach 5 Minuten wenden.

2.

Nun kommt die Schärfe: Die kleingeschnittene Chilischote (Kerne entfernen) zugeben und mit Paprika- oder Chilipulver würzen. Die Orange auspressen, den Saft zusammen mit etwas Zitronensaft und dem Honig unter die Paprika mischen.

3.

Die weichgekochten Paprika mit einem Pürierstab zu einer dickflüssigen Creme mixen. Mit Essig, Salz und Pfeffer abschmecken.

4.

Dip in drei Portionen teilen.
Dip 1 mit Majoranblätter garnieren, Foto oben.
Dip 2 mit 2 EL Crème fraîche, gehackter Petersilie und Zitronensaft abschmecken.
Dip 3 mit 2 EL Crema Balsamico und 6 schwarzen Oliven pürieren.

PARTY-FRIKADELLCHEN

Herzhafte Versuchung

Die kleinen Frikadellchen sind eine wunderbare Vorspeise. Auch als Partysnack beliebt, da sie warm oder kalt gleich lecker sind. Ursprünglich kennengelernt habe ich die herzhaften Frikadellchen bei Hetty in Amsterdam. Da gaben die Frikadellchen einer Gemüsesuppe die pikante Note, vorher durfte man aber schon ein paar gebratene mit Dips naschen.

Zutaten: für 20 Frikadellchen: 400 g Rinder-Hack | 1 Zwiebel | 10 getrocknete Aprikosen | 3 Eier | 10 Salbeiblätter | Petersilie | 80 g Paniermehl | 1 EL Senf | 1 EL Meerrettich | 1 EL Ketchup | Muskat | Zimt | Meersalz | schwarzer Pfeffer | 2 EL Bratfett

Zeit: Zubereitung: 30 Minuten | Ruhen: 15 Minuten | Braten: 10 Minuten

Beilagen: Dip Mango-Chutney | Ingwer-Chutney | Feigen-Senf

ANLEITUNG

1.

Alle Zutaten bereitstellen.

2.

Eine Zwiebel schälen und sehr fein hacken.

3.

Die getrockneten Aprikosen in kleine Stücke schneiden.

4.

Das Hackfleisch in eine große Schüssel geben. Zwiebeln und Aprikosen zugeben, die Masse gut mischen.

5.

Die Salbeiblätter in sehr feine Streifen schneiden.

6.

Die Petersilie waschen, trocknen, Blättchen von den Stängeln abschneiden und sehr fein hacken.

7.

Die drei Eier in einer kleinen Schüssel mit etwas Wasser und einer Prise Salz verquirlen. Zusammen mit Paniermehl, Salbei und Petersilie mit der Hackmasse gut vermischen.

8.

Nun wird die Mischung gewürzt: Jeweils 1 EL Senf, Meerrettich und Ketchup in die Hackmasse zugeben. Mit einer Prise Muskat und Zimt, Meersalz und schwarzem Pfeffer aus der Mühle die Hackmasse abschmecken.

9.

Nachdem die Hackmasse gut durchgeknetet ist, 20 gleich große Frikadellchen formen.

Auf einem Brett anordnen.

10.

Die geformten Frikadellen auf einem Brett so auslegen, dass sie sich nicht berühren.
Etwa 15 Minuten ruhen lassen.
Das Paniermehl nimmt die Feuchtigkeit auf, die Klößchen werden fest.

11.

Bratfett in einer Pfanne sehr stark erhitzen. Frikadellchen mit etwas Abstand in die Pfanne legen, damit Platz zum Wenden bleibt. Die Hitze reduzieren, mit dem Drehen und Wenden beginnen.

12.

Frikadellchen drehen und wenden, von allen Seiten gut anbraten. Nach 8 bis 10 Minuten sind die Bällchen gar. Das Fett auf einem Rost abtropfen lassen.
Die Frikadellchen können stattdessen auch 10 Minuten in der Suppe gegart werden.

DIE ITALIENISCHE VARIANTE

MIESH

Das fein

ndünsten, mit dem Weina
maten häuten und gro
u dem Knoblauch ge b-
kochen. 10 Minuten le
(nzwischen die Muschel-
und in etwa 1/2 cm
Wasser (ca 1 Tasse) le
decken und die Mu
Hitze 5 bis 10 Minut
alle Schalen sich
Suppenteller legen
s Muschelkoch
essen und 2 Mi
die Musche

SUPPEN

RINDFLEISCHBRÜHE

Gut für alles

Eine Rindfleischbrühe ist die Basis der guten traditionellen Küche. Das wusste meine badische Groß-mutter Pauline nur zu gut. Es wird berichtet, dass auf ihrem Herd immer eine Rindfleischbrühe leise blubberte. Daraus schöpfte sie dann für Soßen und andere Gerichte etwas ab und hatte so einen herrlichen Grundfond. Und – das berichtete mein Vater – wenn er oder seine Brüder spät abends heim kamen, zauberte Pauline noch ein Mitternachts-Süppchen, die Basis für gemütliche Gespräche.

Zutaten: für 6-8 Portionen: 1 kg Suppenfleisch (z.B. Tafelspitz) | 3-5 Markknochen | Suppengemüse (Möhren, Lauch, Sellerie, Petersilienwurzel) | 1-2 Zwiebeln | Pfefferkörner | Lorbeerblätter | Salz | Pfeffer | Petersilie | 1 dl Sherry |

Zeit: Braucht 2 Stunden Zeit

ANLEITUNG

1.

2.

Das Mark aus den Markknochen herausdrücken und für die Markklößchen beiseitestellen. Wenn die Knochen Zimmertemperatur haben, löst sich das Mark leichter. Rindfleisch zusammen mit den leeren Markknochen in kaltem Wasser aufsetzen und zum Kochen bringen.

Nach 10 Minuten bildet sich Schaum. Nun den gesamten Topfinhalt in ein Sieb schütten, Fleisch und Knochen abspülen, Topf säubern. Fleisch und Knochen mit frischem Wasser erneut aufsetzen und wieder zum Kochen bringen.

3.

4.

Gemüse waschen. Ein Teil des ungeschälten Gemüses in sehr große Stücke zerteilen. Da dieses Gemüse nach der langen Kochzeit verkocht ist und entfernt wird, muss es nicht geschält oder kleingeschnitten werden.

Nach ca. 30 Minuten Kochzeit große Gemüseteile zum Fleisch geben und für eine weitere Stunde leise mitköcheln lassen, bei geschlossenem Deckel. Ein paar Pfefferkörner und Lorbeerblätter zugeben.

5.

6.

Das restliche Gemüse schälen, putzen und in Streifen oder Ringe schneiden.

Nach 90 Minuten Kochzeit das Fleisch herausnehmen. Topfinhalt durch ein Sieb in einen zweiten Topf abgießen. Verkochtes Gemüse und Knochen entfernen. Die Brühe wieder erhitzen. Das frische Gemüse zufügen und 5 Minuten bissfest köcheln.

7.

8.

Rindfleisch von Fettrand befreien. Einen Teil vom Fleisch in kleine Würfel schneiden und zurück in die Brühe geben.

Als Tafelspitz quer zur Faser in dicke Scheiben schneiden.

Brühe mit Salz und Pfeffer abschmecken. Wer es mag, kann die Brühe auch mit 1 EL Sherry und Schnittlauchröllchen servieren.

SO GEHT ES WEITER

Tafelspitz

Rezepte mit Suppenfleisch auf Seite
Rindfleisch-Salat + Früchte Seite 18
Tafelspitz mit Avocado Seite 19
Grüne Soße Seite 96

Brühe

Markklößchen-Suppe Seite 34

MARKKLÖSSCHEN-SUPPE

Badische Familientradition

Der festliche Auftakt zu jedem Familienessen ist die Markklößchen-Suppe. Das war bei Großmutter Pauline so, das war bei meiner Mutter so und das ist bei mir so. Wenn die Familie feiert oder zu Besuch kommt, lebt die alte Familientradition wieder auf und wird von allen sehr geschätzt. Die Zubereitung der Markklößchen ist zeitaufwändig und erfordert etwas Geschick. Aber der einmalige Genuss ist den Aufwand wert.

Zutaten: für 6-8 Portionen: 3-5 Markknochen | 1-2 Eigelb | 1 kleine Zwiebel | 1 Bio-Zitrone | 50 bis 80 g Paniermehl | Salz | Pfeffer | Muskatnuss | Petersilie | Worcester Sauce | 2 l Rindfleischbrühe (Rezept Seite 32) | evtl. 1 TL Tabasco | evtl. 1dl Sherry |

Zeit: Fertig in 1 Stunde

ANLEITUNG

1.

Mark aus den Markknochen drücken.

Die leeren Knochen für die Brühe auskochen, bzw. verwenden.

2.

Das Mark bei Zimmertemperatur mit der Gabel zerdrücken.

Mit der Gabel die Markmasse so lange kneten und wenden, bis die Masse cremig wird.

3.

Zutaten bereitstellen. Eine Zwiebel sehr fein kleinschneiden.

4.

Zwiebel und Eigelb zum Mark geben und die Masse weiter kneten.

5.

Die Schale einer ungespritzten (Bio)-Zitrone abreiben.

6.

Petersilie sehr fein hacken.

7.

Petersilie, Zitronenschale unter die Markmasse geben und so lange mit der Gabel kneten, bis alle Zutaten gleichmäßig verteilt sind. Mit Salz, weißem Pfeffer, Muskatnuss und einem Spritzer Worcester Sauce würzen. Evtl. noch einen Spritzer Tabasco.

8.

So nach und nach Paniermehl zugeben und die Masse gut durchkneten. Das Verhältnis stimmt, wenn die Masse fest ist und nicht bröselt. Dann mindestens 15 Minuten kühl ruhen lassen. Das Paniermehl nimmt die Feuchtigkeit auf.

9.

Nach dem Ruhen darf der Teig nicht kleben oder bröckeln. Klebt er, etwas Paniermehl zugeben. Bröckelt er, etwas Feuchtigkeit (z.B. Eiweiß) zugeben.

10.

Mit der Gabel etwas Teigmasse abstechen und 2 cm dicke Klöße zwischen den Handflächen rollen. Die Klößchen auf einem Brett oder Teller auslegen und mindestens weitere 15 Minuten ruhen lassen.

11.

Die Markklößchen in die leise simmernde Brühe geben und ziehen lassen. Die Brühe darf nicht zu stark kochen, weil die Klößchen dann zerfallen. Keinen Deckel auflegen.

12.

Nach 5 bis 8 Minuten steigen die Klößchen nach oben. Dann sind sie gar. Die Klößchen in einer klaren Fleischbrühe mit Gemüseeinlage servieren. Die Brühe evtl. mit einem Spritzer Sherry abschmecken und mit gehackter Petersilie garnieren.

HÜHNERBRÜHE

Stimmungsaufheller

Fühle ich mich schwach, erschöpft oder krank und genieße eine Hühnerbrühe, geht es mir gleich besser. Hühnerbrühe, das bewährte Hausmittel gegen allerlei Unwohlsein, wurde schon von den alten Ägyptern als Mittel gegen Erkältungen verwendet. Die Zubereitung der Hühnersuppe braucht Zeit, denn je länger sie kocht umso wirkungsvoller wird sie. Der unangenehme Geruch, den die Suppe beim Kochen verbreitet, lässt sich vermeiden, wenn man das Kochwasser nach 10minütiger Kochzeit abschüttet und dann neu mit frischem Wasser aufsetzt.

Zutaten: für 6-8 Portionen: 2 kg Suppenhuhn | Suppengemüse (Möhren, Lauch, Sellerie, Petersilienwurzel) | 1-2 Zwiebeln | 1 Bund Petersilie | Schwarzer Pfeffer | Salz | Safran oder Kurkuma |

Zeit: Zubereitung: rund 2 bis 3 Stunden

ANLEITUNG

1.

Suppenhuhn innen und außen unter fließendem kaltem Wasser waschen. Das Suppenhuhn in kaltem Wasser aufsetzen und zum Kochen bringen.

2.

Nach 10 Minuten bildet sich Schaum. Nun den gesamten Topfinhalt abschütten, Suppenhuhn innen und außen abspülen, Topf säubern. Suppenhuhn mit frischem Wasser erneut aufsetzen, salzen und wieder zum Kochen bringen.

3.

Gemüse waschen. Ein Teil des ungeschälten Gemüses in sehr große Stücke zerteilen. Da dieses Gemüse nach der langen Kochzeit verkocht ist und entfernt wird, muss es nicht geschält oder kleingeschnitten werden.

4.

Nach ca. 30 Minuten Kochzeit große Gemüseteile zum Huhn geben und für eine weiter Stunde leise mitköcheln lassen, bei geschlossenem Deckel. Ein paar Pfefferkörner und Lorbeerblätter zugeben.

5.

Das restliche Gemüse schälen, putzen und in Streifen oder Ringe schneiden.

6.

Frühestens nach 1 1/2 Stunden Kochzeit das Suppenhuhn herausnehmen. Kocht das Huhn drei Stunden, wird Geschmack und Wirkung noch intensiver.

7.

Topfinhalt durch ein Sieb in einen zweiten Topf abgießen. Verkochtes Gemüse entfernen. Die Brühe wieder erhitzen.

8.

Das frische Gemüse zufügen und 5 Minuten bissfest köcheln.

9.

Das Suppenhuhn entbeinen, die Haut und das Fett entfernen. Geflügelfleisch in Stücke zerteilen. Ein großer Teil des Geflügelfleischs kann für andere Gerichte verwendet werden. Das Fleisch eignet sich auch zum Einfrieren.

10.

Einen Teil vom Fleisch in kleine Würfel schneiden und in die Brühe geben. Brühe mit Salz und Schwarzem Pfeffer abschmecken. Traditionelles Gewürz ist Petersilie. Für eine gelbe Farbe sorgt Safran oder Kurkuma.

11.

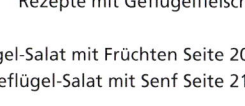

Geflügelfleisch
Rezepte mit Geflügelfleisch

Geflügel-Salat mit Früchten Seite 20
Geflügel-Salat mit Senf Seite 21

12.

Brühe
Weitere Rezepte mit Geflügelbrühe

Exotische Gurkensuppe Seite 38
Lauch-Kartoffel-Suppe Seite 39

EXOTISCHE GURKENSUPPE

Eine scharfsaure Sache

Erst einmal eine Hühnerbrühe kochen (siehe Seite 36). Und dann kommt die Überraschung: Brigitta, die Galeristin, die auch eine gute Köchin ist, zeigte es mir. Mit Gurke, Soja-Sauce und viel Chinesischem Pfeffer wird die klassische Hühnerbrühe zu etwas ganz Exotischem.

Zutaten: für 8 Portionen: 2 l Hühnerbrühe | 1 Landgurke oder 1/2 Salatgurke | 1 EL Soja-Sauce | 1 EL Chinesische Pfefferkörner | Meersalz | 1 dl Sherry | 4 EL Apfelessig | Petersilie |

Zeit: Fertig in 15 Minuten

1.

Suppenhuhn kochen, siehe Seite 36. Eine kleine Gemüsegurke oder 1/2 Salatgurke in sehr dünne Scheiben schneiden. Mit Salz bestreuen und entwässern.

2.

Den Chinesischen Pfeffer in der Mühle mahlen, die Soja-Sauce und das Meersalz zu der Brühe geben. Die Gurkenscheiben für drei Minuten in der heißen Brühe ziehen lassen. Die Brühe darf nicht kochen.

3.

Die heiße Hühnerbrühe mit Sherry und Apfelessig abschmecken

4.

Die exotische Gurkensuppe mit frischgehackter Petersilie heiß servieren.

LAUCH-KARTOFFEL-SUPPE

Im Sommer eiskalt genießen

Lauch-Kartoffel-Suppe wärmt im Winter und ist im Sommer sensationell, wenn sie eiskalt mit einer dicken Schicht Schnittlauch serviert wird. Kennengelernt habe ich sie bei Jochen und Angelika, die neben Neigungen zu Literatur und Kunst auch ein gutes Händchen in der Küche haben.

Zutaten: für 8 Portionen: 2 l Hühnerbrühe | 500 g Kartoffeln | 300 g Lauch | 2 dl Sahne oder Crème fraîche | 1 Bund Schnittlauch | weißer Pfeffer | Salz |

Zeit: heiß fertig in rund 30 Minuten – eiskalt mehrere Stunden im Kühlschrank.

1.

Suppenhuhn kochen, siehe Seite 36. Die Kartoffeln schälen und in kleine Stücke schneiden. Die Kartoffelstücke in der Hühnerbrühe mit etwas Salz in 15 Minuten gar kochen. Mit einem Stampfer zu einer glatten Masse stampfen. Mit dem Schneebesen locker aufschlagen.

2.

Den Lauch von Wurzeln und den harten äußeren Blattspitzen befreien. Lauch mit einem scharfen Messer in 2 mm feine Ringe zerteilen. Die Lauchringe in einem Sieb unter einem kräftigen kalten Wasserstrahl abspülen, da sich gerne Sand in den Lauchschichten ablagert.

3.

Den Lauch zu den Kartoffeln geben und 5 bis 10 Minuten köcheln. Mit Salz und Pfeffer abschmecken, Sahne oder Crème fraîche zugeben. Vor dem Servieren kurz bis zum Siedepunkt erhitzen und zum Schluss den fein gehackten Schnittlauch drüber streuen.

4.

Traumhaft gut ist die Lauch-Kartoffel-Suppe eiskalt. Sie muss dazu sehr fein passiert werden und mehrere Stunden im Kühlschrank stehen.

MINESTRONE

Der italienische Klassiker – ein gehaltvoller Leckerbissen

So eine Minestrone nach klassischem Originalrezept, das aus einem Familienrestaurant in Positano stammt, ist ganz schön aufwändig, da es aus vielen Zutaten besteht. Minestrone bedeutet etwa „dicke Suppe" und war eines der Lieblings-Rezepte, das Aldo gerne und ganz vorzüglich zubereitet hat. Ich habe es schon lange nicht mehr gekocht und bin überrascht und beeindruckt wie gehaltvoll und rund die Suppe schmeckt. Ein absoluter Leckerbissen für eine große Tafelrunde.

Zutaten: für 8 bis 10 Portionen: 1/2 Tas weiße Bohnen (evtl. Dose) | 1 EL Olivenöl | 1 Tas frische Erbsen (evtl. Dose) | 1 Tas Zucchini | 1 Tas Möhren | 1 Tas Sellerie | 1 Tas Kartoffeln | 2 Zwiebeln | 1/2 Tas Lauch | 2 l Gemüsebrühe | 130 g geräucherter Schinkenspeck | 6 Lorbeerblätter | 2 Petersilienbüschel | 1/2 Tas Reis | Schwarzer Pfeffer | Salz | **Garnierung**: 1 EL Basilikum | 1 EL Petersilie | 1 EL Knoblauch | 1/2 Tas Parmesan |

Zeit: Fertig in rund 50 Minuten

ANLEITUNG

1.

Die Zutaten für die Minestrone abmessen und bereitstellen. Bohnen und Erbsen können bereits gekocht aus der Dose oder frisch verwendet werden. Weiße Bohnen in Wasser aufkochen, eine Stunde ruhen lassen, dann bei schwacher Hitze in einer Stunde gar kochen.

2.

Zucchini, Möhren, Kartoffeln und Sellerie schälen, in kleine Würfel schneiden und zum Abmessen in Tassen füllen, bis die gewünschte Menge erreicht ist.

3.

In einer Pfanne die frischen Erbsen in etwas Olivenöl bei mittlerer Hitze sanft anbraten. (Gegarte Erbsen aus der Dose kommen erst später dazu). Das kleingeschnittene Gemüse zu den Erbsen in die Pfanne geben und 3 Minuten braten.

4.

Den Schinkenspeck klein würfeln. In einem großen Suppentopf die Speckwürfel auslassen, bis sie knusprig sind. Dann herausnehmen und beiseite stellen.

5.

Zwiebeln schälen, Lauch putzen, beides in Ringe schneiden. In dem Schinkenfett die Zwiebel- und Lauchringe anbraten.

6.

Das Gemüse aus der Pfanne zu der Zwiebel-Lauchmischung in den großen Suppentopf geben.

7.

Das Gemüse mit der Bouillon auffüllen. Lorbeerblätter, die gebundenen Petersilienbüschel, Salz und Pfeffer zufügen, die Suppe schnell zum Kochen bringen. Temperatur reduzieren, Deckel auflegen und für 20 Minuten leise köcheln lassen.

8.

Nach 20 Minuten ist das Gemüse in der Minestrone bissfest gar. Die Lorbeerblätter und Petersilienbüschel entfernen.

9.

Nun die dicken Bohnen, die Erbsen, wenn sie aus der Dose sind und die angebratenen Schinkenspeckwürfel zufügen.

10.

Den Reis in die Suppe geben und für 15 Minuten weiter köcheln lassen. Wer die Suppe lieber klar haben möchte, kann den Reis auch weglassen.

11.

Für die Garnierung frisches Basilikum und Petersilie fein hacken. Knoblauchzehen durch eine Presse drücken oder ganz fein hacken. Den Parmesankäse reiben. Alles zu der Garnierung vermischen. Die Suppe anrichten und mit der Garnierung bestreuen.

12.

Die Minestrone mit Salz und schwarzem Pfeffer aus der Mühle würzen, mit Weißbrot und Parmesan servieren.

KÜRBIS-SUPPE

Wärmt und harmonisiert

Die Ernährungsexpertin Barbara Temelie zählt viele Vorteile des Kürbis auf: Das Fleisch von Kürbissen wirkt entwässernd, verdauungsfördernd und harmonisierend, ist gut bei Husten. Es ist reich an Vitamin A, B1 und Phosphor. Eisen und Kalium sind ebenfalls in großen Mengen enthalten. Gekochter Kürbis ist mild und eignet sich gut als Schonkost bei Magenerkrankungen. Es gibt also alles in allem viele Gründe für eine leckere Kürbissuppe.

Zutaten: für 4 Portionen: 1 Hokkaido-Kürbis | 1 Bund Thymian | 3 Salbeiblätter | 1 Petersilien-wurzel | 1 Stück Ingwer | 1/2 l Wasser | 2 dl Orangensaft | Pfeffer | Salz | Kresse | Rosenpfefferblüten | 2 dl Weißwein | 2 EL Balsamico-Essig | 1 Tropfen Kürbiskernöl pro Teller/Tasse | geröstete Kürbiskerne |

Zeit: Fertig in rund 30 Minuten

ANLEITUNG

Kürbisse im Ökoanbau
Zu den Sorten, die auch aus Biover-
mehrung erhältlich sind, gehören
die Hokkaido-Sorten ‚Uchiki Kuri‘,
‚Red Kuri‘, die Butternut-Kürbisse
‚Early Butternut‘, ‚Butternut
Waltham‘, der Muskatkürbis
‚Muscat de Provence‘

1.

2.

Den Hokkaido mit einem großen
Messer halbieren. Das Fruchtfleisch
mit einem Löffel herauslösen.
Bei Bedarf die Kürbiskerne aus dem
Fruchtfleisch lösen und trocknen.
Kürbiskerne trocken in einer Pfanne
rösten und zum Schluss an die
Suppe geben.

3.

Das Kürbisfleisch mit der Schale in
Würfel schneiden.

4.

Ein Bund Thymian und Salbeiblätter
mit ihren ätherischen Ölen
unterstützen die gute Wirkung vom
Kürbis.

5.

In einem großen Topf einen halben
Liter Wasser erhitzen und die
Kräuter dazugeben.

6.

Petersilienwurzel und Ingwer
in große Stücke zerteilen und
in den Sud geben.

7.

Die Kürbiswürfel zum Sud geben,
einmal aufwallen lassen, dann die
Hitze reduzieren. Bei
geschlossenem Deckel 15 Minuten
leise köcheln lassen.

8.

Die Thymianstängel, Salbeiblätter,
Petersilienwurzel und Ingwer aus
der Suppe fischen und entsorgen.

9.

Mit einem Pürierstab den Kürbis
fein pürieren.

10.
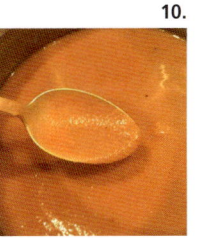

Mit Salz, Pfeffer und Orangensaft
abschmecken. Wer mag, noch einen
Schuss Weißwein oder Balsamico-
Essig zugeben.
Ein guter Kürbis hat einen
hervorragenden Eigengeschmack
und braucht fast keine Gewürze.

11.

Variante mit Shrimps
Rezept für Shrimps Seite 117.

12.

**Variante mit
Frikadellchen**
Rezept für Frikadellchen Seite 28.

FETTUCCINE MIT LAUC

REZEPT
VON
PETER
KNAUP

Knoblauch und Zwiebeln
dünsten, Crème fraîche
Pfeffern und auf kle
Flamme 10 Minuten köcheln.
Den Lauch in hauchdünne Rin
den und nach 5 Minuten in
mengen. Die ebenfalls dü
tenen Champignons erst
hinzugeben, wenn die
ins sprudelnde Wasse
Die Nudeln auf der
Platte ausbreiten, d
mischen und reich
benen Parmesan

EMANUEL FEARER
LIGURISCHE KÜCH
REST. SPOTORNO, RIV
Knoblauch, Basi
acken un

44

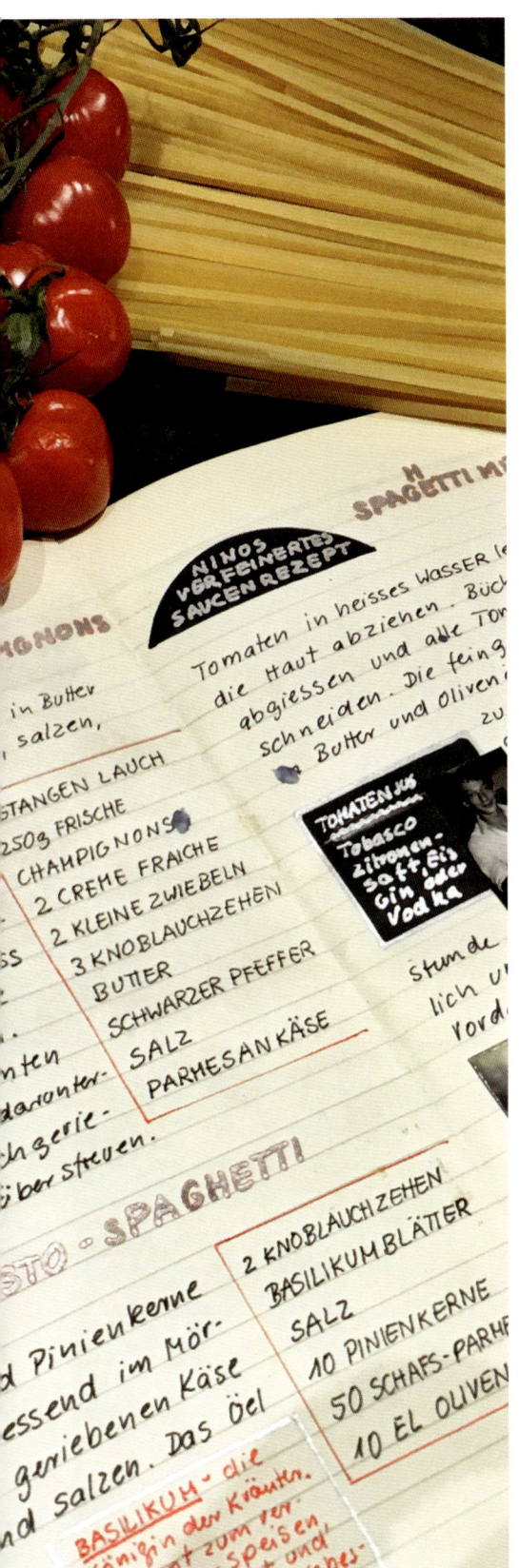

PASTA

MEDITERRANE GEMÜSE-PFANNE

Gesund und voller Vitamine

Als ich kochen lernte, war mediterranes Gemüse Neuland. Meine Großmutter weigerte sich, gebratene Zucchini zu essen, weil sie sie für eine Gurke hielt. Die fremden Geschmäcker von Auberginen, Paprika, Artischocken, Oliven, Brokkoli, Zucchini, sowie Knoblauch wurden erst so nach und nach vertraut. Für heute unvorstellbar, wo doch solche Gerichte lange schon zur traditionellen Küche gehören.

Zutaten: für 4 Portionen: 250 g Bandnudel | Olivenöl | 2 Paprika | 1 Zucchini | 10 Champignons | 2 Tomaten | 2 Lauchzwiebel | 2 Eier | Sahne | Meersalz | Schwarzer Pfeffer | Parmesan | Oregano | Petersilie |

Zeit: Fertig in 30 Minuten

ANLEITUNG

1.

Der schnellste Weg, eine Paprika vom Kerngehäuse zu befreien: Oben und unten eine 3 cm breite Scheibe abschneiden. Nun lässt sich das Kerngehäuse mit einem langen Messer einfach in einem Stück herausschneiden.

2.

Paprika in 5 cm große Stücke schneiden.

3.

Pfanne erhitzen, Olivenöl zugeben. Paprika nacheinander in heißem Öl anbraten und wenden. Sofort mit Deckel schließen, Hitze reduzieren. Nach 5 Minuten wenden.

4.

Ein Liter Wasser zum kochen bringen.
1 TL Salz zugeben.
Bandnudeln zugeben, Hitze reduzieren, Timer auf 8 Minuten (Zeitangabe siehe Nudel-Packung) stellen.
Nudeln leise köcheln lassen

5.

Zucchini der Länge nach halbieren, dann vierteln. Die Längsstreifen dann quer in Scheiben schneiden.

6.

Die Zucchinistreifen zu den Paprika geben und wenden.

7.

Tomaten und Lauchzwiebeln in Scheiben schneiden.

Die Tomaten in die Pfanne zu den anderen Gemüsen geben und anbraten.

8.

Nach ca. 8 Minuten Kochzeit (Zeitangabe siehe Nudel-Packung) die Bandnudeln in einem Sieb abschütten. Champignons in Scheiben schneiden. Zum Schluss die Champignons zu dem Gemüse geben, mehrfach wenden.

9.

Die Hitze unter der Pfanne erhöhen.
Die abgetropften Nudeln zum Gemüse geben.

10.

Die Sahne zu den Nudeln geben. Würzen mit Meersalz, Schwarzem Pfeffer aus der Mühle und Oregano.

11.

Zwei Eier in einer Schüssel verrühren. Mit Salz und Pfeffer würzen.
Die Eier über die Nudeln geben. Kurz anstocken lassen, dann wenden, Hitze reduzieren.

12.

Mit geriebenem Parmesan bestreuen. Alles noch einmal gut wenden. Heiß servieren. Nudel-Gemüse-Gericht mit Petersilie bestreut servieren. Dazu passt sehr gut ein grüner Blattsalat.

TORTELLONI MIT NÜSSEN UND PARMESAN

Einfach und sehr lecker

Dieses Gericht ist so extrem einfach in der Zubereitung, dass es den Begriff „Rezept" fast nicht verdient. Aber es muss nicht immer schwer und langwierig sein - einfach und schnell, bei guter Qualität, ist manchmal das Beste.

Zutaten: für 4 Portionen: 2 Packungen je 250 g frische Tortelloni (Steinpilze oder Frischkäse) | 100 g Parmesan | Olivenöl | 150 g Cashewkerne | Schwarzer Pfeffer |

Zeit: Fertig in 10 Minuten.

ANLEITUNG

1.

Die frischen Tortelloni in eine Schüssel geben und mit kochendem Wasser übergießen, salzen, vier Minuten ziehen lassen.

2.

Die Tortelloni in einem Sieb abschütten und abtropfen lassen.

3.

Die Tortelloni in eine Schüssel geben.

4.

Reichlich Parmesan-Käse über die Tortelloni reiben.

5.

Petersilie mit einem Wiegemesser klein hacken.

6.

Die feingehackte Petersilie zu den Tortelloni geben.

7.

Cashewkerne mit einem Wiegemesser klein hacken.

8.

Die gehackten Cashewkerne zu den Tortelloni geben.

9.

Mit Olivenöl beträufeln.

10.

Mit Schwarzem Pfeffer aus der Mühle würzen. Fertig.

11.

Tortelloni auf einem vorgewärmten Teller servieren.

12.

Dazu passt Salat mit Kresse garniert.

PETERSILIEN-SPAGHETTI

Schmeckt der ganzen Familie

Peterli, wie sie in der Schweiz liebevoll genannt wird, ist viel zu schade, um nur als Dekoration über die Speisen gestreut zu werden. Im antiken Griechenland wurde sie als heilige Pflanze angesehen. Im Mittelalter baute man sie als Heilkraut in Klöstern an und bereits damals wurde sie in der Küche eingesetzt. Petersilie wird als Gewürzkraut meist roh oder nur kurz erhitzt verwendet, da sie sonst ihr typisches Aroma verliert. Besonders pikant schmeckt Petersilie zusammen mit Zitronenschale.

Zutaten: für 4 Portionen: 250 g Spaghetti | Rapsöl oder Sonnenblumenöl | 1 Zwiebel | Ingwer | 1 Tomate | 2 Lauchzwiebeln | Meersalz | Schwarzer Pfeffer | 2 Bund Petersilie | 1 Zitrone zum abreiben | Zitronenöl | 30 g Pinienkerne |

Zeit: Fertig in 30 Minuten

ANLEITUNG

1.

Wenn das Beet oder der Blumenkasten überquillt mit prächtiger Petersilie, ist Erntezeit. Petersilie mit Stängel abschneiden, denn die neuen Blättchen treiben von der Wurzel aus.

2.

Ein Liter Wasser zum Kochen für die Spaghetti aufsetzen.

Erst wenn das Wasser kocht 1 EL Salz zugeben.

3.

Spaghetti in das kochende Salzwasser geben, umrühren bis alle Spaghetti im Wasser schwimmen. Hitze reduzieren, Spaghetti leise köcheln, Timer auf 8 Minuten stellen.

4.

In der Zwischenzeit, während die Spaghetti kochen, Zwiebel schälen, in Scheiben schneiden. Tomate und Lauchzwiebeln waschen, in Scheiben schneiden.

5.

Rapsöl, oder Sonnenblumenöl, in einer Pfanne erhitzen. Zwiebelscheiben zugeben und im Öl anbraten, mehrfach wenden. Hitze reduzieren. Tomatenscheiben zugeben und ein paar Minuten mitschmoren. Dann die Lauchwiebeln zugeben.

6.

Ein Stück Ingwer schälen und mit einer Reibe raffeln und über das Gemüse geben. Mit Meersalz und Schwarzem Pfeffer aus der Mühle würzen.

7.

Nach ca. 8 Minuten Kochzeit (Zeitangabe siehe Spaghetti-Packung) die Spaghetti in einem Sieb abschütten und gut abtropfen lassen.

8.

Die holzigen Stängel abschneiden. Petersilie vorsichtig in stehendem Wasser waschen und trocken schleudern, dann mit einem Messer oder Wiegemesser fein hacken.

9.

Die Schale einer Zitrone mit einer Reibe abreiben und unter die Petersilie mischen.

10.

Hitze unter der Gemüse-Pfanne erhöhen. Die abgetropften Spaghetti zugeben, wenden, Hitze reduzieren. Würzen mit Meersalz und Schwarzem Pfeffer aus der Mühle. Petersilien-Zitronenschalen-mischung zugeben und mit Zitronenöl abschmecken. Alles wenden.

11.

In einer trockenen Pfanne die Pinienkerne kurz anrösten.

12.

Spaghetti-Mischung auf einem Teller oder in der Schüssel anrichten. Die gerösteten Pinienkerne über den Spaghetti-Teller streuen.

SALBEI CHAMPIGNONS

Drei die gut zueinander passen

Mit nur drei Zutaten und ein paar Gewürzen steht in zehn Minuten ein feines Gericht auf dem Tisch. Der herbe Salbeigeschmack kommt in dieser unverfälschten Kombination mit den Champignons klar zum Tragen.

Zutaten: für 2 Portionen: 2 Packungen je 250 g frische Ravioli (Steinpilze oder Frischkäse) | 10 Champignons | 4-6 Blatt Salbei | Butter | Kräuter-Salz | Schwarzer Pfeffer |

Zeit: Fertig in 10 Minuten

1.

Die frischen Ravioli in eine Schüssel geben und mit kochendem Wasser übergießen, salzen, vier Minuten ziehen lassen.
In der Zeit die Salbeiblätter in Streifen schneiden.

2.

Butter in einer Pfanne schmelzen. Vorsicht, nicht zu heiß werden lassen.
Die Salbeistreifen in der Butter wenden.

3.

Die Champignons putzen und in Scheiben schneiden.
Die Champignonscheiben zu den gerösteten Salbeiblätter geben, alles zusammen wenden.

4.

Nach vier Minuten die Ravioli abschütten und in die Pfanne geben, kurz mit den Champignonscheiben anbraten, Salz und Pfeffer zugeben, wenden. Ravioli auf einem vorgewärmten Teller servieren, mit Salbei garnieren. Dazu passt Salat.

SALBEI SAHNE

Weiches Aroma gefällig

Der herbe Salbeigeschmack wird durch die Sahne gemildert und bekommt mit dem süßen Feigensenf ein ganz weiches Aroma. Ein wirklich leckeres Gericht, das unglaublich schnell gemacht ist.

Zutaten: für 2 Portionen: 2 Packungen je 250 g frische Ravioli (Steinpilze oder Frischkäse) | 4-6 Blatt Salbei | Butter | Kräuter-Salz | Schwarzer Pfeffer | 1EL Feigensenf | 1,5 dl Sahne | Kresse zum Garnieren

Zeit: Fertig in 10 Minuten

1.

Die frischen Ravioli in eine Schüssel geben und mit kochendem Wasser übergießen, salzen, vier Minuten ziehen lassen.
Butter in einer Pfanne schmelzen. Die Salbeiblätter direkt in Streifen in die Pfanne schneiden.

2.

Nach vier Minuten die Ravioli abschütten und in die Pfanne geben, kurz mit den Salbeiblättern anbraten.

3.

Die Sahne zugeben, kurz aufwallen lassen, dann mit dem Feigensenf, Salz und Pfeffer abschmecken.

4.

Sahne-Ravioli auf einem vorgewärmten Teller servieren, mit Kresse garnieren.
Dazu passt Salat.

FETTUCCINE MIT LAUCH-CHAMPIGNONS

Ein feines kleines Band

Fettuccine ist eine italienische Nudelart und bedeutet „kleines Band". Klingt netter als Bandnudel, kommt aber auf dem Teller auf das gleiche raus. Das Rezept habe ich von meiner ersten Reise nach Rom mitgebracht und koche es seitdem immer wieder gerne.

Zutaten: für 4 Portionen: 250 g Fettuccine | 2 Stangen Gemüselauch | 250 g Champignons | 250 g Crème fraîche | 2 kleine rote Zwiebeln | 2 Lauchzwiebeln | 1 EL Olivenöl | Schwarzer Pfeffer | Meersalz | 50 g Parmesan |

Zeit: Fertig in 30 Minuten

ANLEITUNG

1.

2.

Zuerst alle Zutaten bereitstellen: Bandnudeln, Gemüse, Gewürze.

Ein Liter Wasser zum Kochen für die Bandnudeln aufsetzen. Erst wenn das Wasser kocht 1 EL Salz zugeben

Die roten Zwiebeln schälen, in Scheiben schneiden.
Die Lauchzwiebeln putzen und in kleine Stücke schneiden.

3.

4.

Den Lauch putzen, in feine Ringe schneiden und gut in einem Sieb unter fließendem Wasser waschen. Abtropfen lassen. Bandnudeln in das kochende Salzwasser geben, umrühren, Hitze reduzieren, Timer auf 8 Minuten stellen.

In der Zwischenzeit, während die Nudeln kochen, auch noch die Champignons putzen und in dünne Scheiben schneiden.

5.

6.

Olivenöl in einer Pfanne erhitzen. Zwiebelscheiben zugeben und im Öl anbraten, salzen, mehrfach wenden. Hitze reduzieren. Dann die Lauchwiebeln zugeben. Crème fraîche zu den Zwiebeln geben und 5 Minuten leise köcheln lassen.

Nun den Lauch in die Soße mischen, für weitere 5 Minuten ziehen lassen.
Mit Meersalz und Schwarzem Pfeffer aus der Mühle würzen.

7.

8.

Die Champignons erst zu dem Lauchgemüse geben, wenn die Nudeln abgeschüttet werden.

Nach ca. 8 Minuten Kochzeit (Zeitangabe siehe Nudel-Packung) die Bandnudeln in einem Sieb abschütten und gut abtropfen lassen.

9.

10.

Die Bandnudeln direkt auf einer vorgewärmten Schüssel anrichten.

Die Lauch-Champignon-Soße über den Nudeln verteilen. Mit reichlich frischgeriebenem Parmesan bestreuen. Mit Schwarzem Pfeffer aus der Mühle würzen.
Alles wenden.

11.

12.

Die Nudeln mit der Lauch-Champignon-Soße heiß servieren. Eventuell noch mit etwas Parmesan nachwürzen.

Nicht nur farblich passt zu diesem Nudelgericht ein grüner Salat ganz ausgezeichnet.

RAGÚ BOLOGNESE

Tessiner Köstlichkeit

Natürlich darf auch der Klassiker „Ragú Bolognese" in der Pasta-Sammlung nicht fehlen. Das Rezept ist von der „Mama"einer guten Freundin aus dem Tessin. Die Zutaten - mit Schinken und Leber - unterscheiden sich von der gängigen Art, dafür ist der Geschmack des „Ragú Bolognese" einzigartig.

Zutaten: für 4 Portionen: 500 g Rindsgehacktes | 125 g ger. Schinken | 250 g Hühnerleber | 1 Tas Zwiebeln | 1 Tas Möhren | 1 Tas Sellerie | 4 EL Butter | 2 EL Rapsöl | 1 Tas Weißwein | 2 Tas Bouillon | 2 EL Tomatenmark | 1 Tas Sahne | Muskatnuss | Salz | Schwarzer Pfeffer |

Zeit: Vorbereitung: 15 Minuten | Braten: 45 Minuten

Beilagen: Pasta | frischer grüner Salat

ANLEITUNG

1.

Zuerst alle Zutaten bereitstellen: das Fleisch, das Gemüse und die Gewürze. Dann auch die Kochutensilien: Schneidebrett, scharfes Messer, Bräter, Pfannenwender

2.

Zwiebel häuten und fein in Würfel schneiden. Die Butter in einer Pfanne schmelzen, Zwiebeln glasig anbraten, eine Prise Salz dazu. Hitze reduzieren, Deckel auflegen.

3.

Die Möhren und das Stück Sellerie schälen. Möhren und Sellerie sehr fein mit einem scharfen Messer schneiden und zum Abmessen in Tassen füllen, bis die gewünschte Menge erreicht ist.

4.

Den geräucherten Schinken in feine Streifen schneiden. Zusammen mit den feingehackten Möhren und Sellerie zu den Zwiebeln geben, Hitze erhöhen, unter wenden anbraten. Hitze reduzieren, Deckel auflegen.

5.

In einem Bräter das Rapsöl heiß werden lassen und das Rinderhack bei mäßiger Hitze unter ständigem Wenden anbraten.
Den Wein zufügen, einkochen lassen, Hitze reduzieren, Deckel auflegen.

6.

Das Gemüse zu dem Fleisch geben, die Bouillon und das Tomatenmark hineinrühren.

7.

Das Ragú einmal kräftig aufkochen lassen und dann 45 Minuten lang bei geschlossenem Deckel schmoren. Der Deckel hält die Flüssigkeit, die das Gemüse zieht, und sonst verdampft. Wenn das Ragú zu trocken wird, etwas Wasser oder Brühe zugeben.

8.

Nach 30 Minuten in einer separaten Pfanne Butter schmelzen und die kleingeschnittene Hühnerleber leicht anbräunen. Die Leber für die letzten 5 Minuten zum Ragú geben.

9.

Ein paar Minuten vor dem Anrichten die Sahne zugeben und kurz erhitzen.

10.

Pasta nach Wahl zubereiten.

11.

Das Ragú mit Muskatnuss, Salz und Schwarzem Pfeffer aus der Mühle abschmecken.

12.

Ragú Bolognese zusammen mit einer Pasta heiß servieren. Mit GartenKresse und Petersilie garnieren.

GLASIERTE KA

Karotten, Brühe und Gewürze zum Koc
bringen und bei schwacher Hitze 20
weiterköcheln lassen. Topf gelegent
schütteln. Die Flüssigkeit sollte z
braunen, sirupartigen Glasur
sein. Wenn nicht, Karotten her
und weiter einkochen lassen.
Karotten in der Glasur herou
wärmten Schüssel mit Peterl

GRÜ

In das sprudelnde Salz
ise werfen die
10 Mi

GEMÜSE
&
KARTOFFELN

GEMÜSEVARIATION

Bunt und gesund

Eine Gemüseplatte ist nicht nur eine Augenfreude, sondern auch ein Gaumenschmaus. Frisches Gemüse, knackig zubereitet, behält sein volles eigenes Aroma, ist sehr bekömmlich und rasch zubereitet. Beim Einkauf sollten Sie auf jahreszeitliche Angebote aus der Region achten.

Zutaten: für 4-6 Portionen: 500 g kleine Kartoffeln | 1 rote Paprika | 1 Chilischote oder Chilipulver | 1-3 Zucchini | 1 Brokkoli | 200g Zuckerschoten (Kefe) | Petersilie | Dill | Kümmel | Bratöl | Zitronensaft | Zitronenöl | Pfeffer | Salz

Zeit: Fertig in rund 30 Minuten.

ANLEITUNG

1.

Zuerst alle Zutaten bereitstellen: Gemüse, das verarbeitet werden soll, Gewürze, Bratfett. Dann auch die Kochutensilien: Schneidebrett, scharfes Messer, 2 Pfannen, Kochtopf, Sieb. Zuerst das Gemüse waschen, putzen und trocknen.

2.

Die kleinen Kartoffeln gründlich waschen, wenn nötig auch bürsten, denn die Schale bleibt dran. Gekeimte und schadhafte Stellen ausschneiden. Kartoffeln in große Stücke schneiden (vierteln).

3.

Pfanne erhitzen, Bratöl zugeben. Kartoffelstücke in heißem Öl bei großer Hitze knusprig anbraten. Sofort mit Deckel schließen, Hitze reduzieren. Nach 5 Minuten Kartoffeln wenden, mit Meersalz und Kräutern würzen. Zugedeckt bei kleiner Hitze 10 Minuten garen.

4.

Der schnellste Weg, eine Paprika vom Kerngehäuse zu befreien: Oben und unten eine 3 cm breite Scheibe abschneiden. Nun lässt sich das Kerngehäuse mit einem langen Messer einfach in einem Stück herausschneiden. Alle weißen Häutchen entfernen.

5.

Paprika und Zucchini in 5 cm lange Streifen schneiden. Die Schale bleibt dran.

6.

In einer Pfanne Bratöl erhitzen. Die Paprika anbraten und wenden. Nach 2 Minuten die Zucchini zugeben, ebenfalls anbraten und wenden. Die Temperatur reduzieren, Gemüse warm halten bis die anderen Gemüse fertig sind.

7.

Brokkoli vom Strunk entfernen und in kleine Röschen zerteilen.

8.

Einen Topf mit 2 cm Wasser füllen, 1 TL Salz zugeben. Die Brokkoli-röschen nebeneinander in das Wasserbad stellen. Zuckerschoten zum Brokkoli geben. Bei geschlossenem Deckel und schwacher Hitze 4 Minuten dämpfen.

9.

Die drei Gemüsesorten kurz erhitzen. Die Kartoffeln mit einer Prise braunen Zucker bestreuen und kurz bei großer Hitze schwenken. Der Zucker karamellisiert und gibt einen köstlichen Geschmack.

10.

Paprika und Zucchini mit Meersalz und Pfeffer aus der Mühle würzen; kurz wenden. Chilischote ganz fein hacken (Kerne vorher entfernen) und zum Gemüse geben oder mit etwas Chilipulver würzen. Beim Anrichten etwas Zitronenöl und Zitronensaft drüber träufeln.

11.

Brokkoli und Zuckerschoten in ein Sieb vorsichtig abschütten. Ganz kurz in Eiswasser tauchen, damit die Farbe frisch grün bleibt. Anrichten mit den anderen Gemüsen auf dem Teller oder auf einer Platte. Etwas gehackten frischen Dill drüber streuen.

12.

Die Gemüse mit den Kräutern servieren. Erweitert werden kann dieses Gericht mit einer Sauce Hollandaise. Dazu passen auch Spiegeleier, Fisch, Bratwurst oder Schnitzel.

KARAMELLISIERTE MÖHRCHEN

Das kleine Glück

Als Kind habe ich gerne im Garten die jungen Möhrchen aus der Erde gezogen und genascht. Das welke Laub hat mich bald verraten und mein kleines Glück beendet. Ganz gleich, ob roh mit Dip, als Salat oder gekocht, Möhren sind lecker. Das Karamellisieren der Möhren unterstreicht den Eigengeschmack und macht sie einfach köstlich.

Zutaten: als Beilage für 4 Portionen: 1 Bund frische Möhren | 3 Stangen Lauchzwiebeln | 1 dl Gemüsebrühe | 1 EL braunen Rohzucker | Olivenöl | Orangensaft | 50 g gehackte Walnusskerne | Salz |

Zeit: Fertig in 25 Minuten.

1.

1 Bund frische Möhrchen schälen. Die Stängel vom Kraut 5 cm lang stehen lassen. Lauchzwiebel putzen und in Ringe schneiden.

2.

Zucker in einer Pfanne heiß werden lassen, bis er karamellisiert. Mit Gemüsebrühe löschen. Die Lauchzwiebelringe und etwas Salz in die Brühe geben.

3.

Die geschälten Möhrchen in der karamellisierten Gemüsebrühe 5 Minuten lang bei geschlossenem Deckel dünsten.

In einer trockenen Pfanne die gehackten Walnusskerne rösten.

4.

Die Möhrchen und Lauchzwiebeln aus der Brühe nehmen und in einer Auflaufform anrichten. Mit einer Prise Zucker und den Walnusskernen bestreuen. Mit Olivenöl und Orangensaft beträufeln. Für 5 Minuten in den mit 180 Grad vorgeheizten Backofen.

BLUMENKOHL UNTER DER HAUBE

Gemüse-Klassiker

Der Klassiker in Sachen Gemüse war bei meiner Mutter der Blumenkohl. Die Zubereitung variierte. War er schön frisch, kam er als Ganzes knackig gegart mit einer Haube in Butter geröstetem Paniermehl auf den Tisch. Die Reste gab es dann am nächsten Tag in einer Sauce Hollandaise. Auch lecker. Oder mit Butter, Sahne und Ei gratiniert. Oder aber als pürierte Suppe.

Zutaten: als Beilage für 4 Portionen: 1 Blumenkohl | 50 g Butter | 25 g Paniermehl | Salz | Muskat |

Zeit: Fertig in 15 Minuten | evtl. 15 Minuten wässern

1.

Den Blumenkohl von den Blättern befreien. Den Strunk kreuzweise einschneiden, um die Garzeit zu verkürzen. Einen Bio-Blumenkohl für ca. 15 Minuten kopfüber in eine Schüssel mit Salzwasser legen. Eventuelle Untermieter kommen so heraus.

2.

Den Blumenkohl in wenig Wasser, mit 1 TL Salz und einer Prise Muskatnuss, für 6 bis 8 Minuten bei geschlossenem Deckel garen. Den ganzen Blumenkohl mit einem Schaumlöffel vorsichtig herausheben, abtropfen lassen und auf eine Servierschale legen.

3.

In einer Pfanne die Butter zum Schmelzen bringen. Wenn die Butter schäumt, das Paniermehl zufügen. Mit dem Pfannenwender solange wenden, bis das Paniermehl eine goldbraune Farbe angenommen hat.

4.

Das in Butter geröstete Paniermehl mit einer Prise Salz und Muskat würzen und auf dem Blumenkohl verteilen.
Blumenkohl passt zu
Badische Spätzle Seite 82 und
Kalbsragout Seite 140.

LAUCH MIT BIRNE

Süß-sauer

In vielen Spielfilmen kommt die Heldin vom Einkaufen vollbepackt mit dekorativen Lauchstangen im Korb nach Hause. Ich erwarte dann immer eine tolles Lauch-Gericht, eine Suppe oder Lauchgemüse. Leider Fehlanzeige, gekocht wird anderes. Hier nun ein wirklich tolles Gericht mit Lauch: schnell, einfach, leicht und lecker. Vorausgesetzt, dass man die Kombination von süß-sauer mag...

Zutaten: als Beilage für 4 Portionen: 1 Stange Lauch | 2 EL Olivenöl | 3 Zwiebel | 1 Birne | 1 dl Weißwein oder Saft | 1 EL Mango Chutney | Salz | 1 TL Zucker | Zitronensaft | weißer Pfeffer |

Zeit: Fertig in 30 Minuten

ANLEITUNG

1.

2.

1 bis 2 rote und 1 weiße Zwiebel schälen und in Viertel zerteilen. In einer Pfanne Öl oder Butter erhitzen. Wenn sich der Schaum gelegt hat, die Zwiebeln rasch anbraten, dabei immer wenden. Eine Prise Salz zugeben und die Hitze reduzieren.

Die Lauchstange waschen, von Wurzeln und den harten äußeren Blattspitzen befreien. Die Lauchstange mit einem scharfen Messer in 2 mm feine Ringe zerteilen.

3.

4.

Die Lauchringe in einem Sieb unter einem kräftigen kalten Wasserstrahl abspülen, da sich gerne Sand in den Lauchschichten ablagert. Lauch danach gut abtropfen.

Die Hitze in der Zwiebelpfanne wieder erhöhen, den Lauch zugeben und unter enden anbraten. Mit dem Weißwein oder Saft ablöschen. Danach die Hitze wieder reduzieren.

5.

6.

Die Birne schälen, vierteln, das Kerngehäuse entfernen und in kleine Schnitze schneiden.

Die Birnenschnitze vorsichtig unter das Lauch-Zwiebelgemüse heben. Bei geringer Hitze 1 Minute durchziehen lassen.

7.

8.

Mit 1 EL Mango Chutney, einer Prise Salz und Zucker, ein paar Tropfen Zitronensaft und weißem Pfeffer abschmecken.

Das Lauch-Zwiebelgemüse auf einer vorgewärmten Platte servieren. Die angegebene Menge reicht für 2 Portionen als Hauptgericht oder für 4 Portionen als Gemüsebeilage.

DAS PASST DAZU

SÜSS-SCHARFES PAPRIKA

Volles Aroma

Als die Paprika in den 1960er Jahren Einzug in die deutsche Küche feierten, wurde sie grundsätzlich als Gefäß verwendet. Gefüllte Paprika war der Trend der Zeit: mit Reis, mit Gehacktem, mit Frischkäse. Vom köstlichen Geschmack der Paprika blieb wenig zu spüren. Hier ein Rezept, bei dem sich das volle Paprika-Aroma aufs Feinste entfalten kann. Mit der Schärfe lässt sich spielen.

Zutaten: für 4 Portionen: 4 Paprika rot, orange, grün | 2 Lauchzwiebel | Bratöl | 1 dl Weißwein | 1 Orange | 1/2 Zitrone | 2 EL Honig | 2 EL Weinessig | Pfeffer | Salz | 1 Chilischote | Ingwer | Paprika- oder Chilipulver |

Zeit: Fertig in 20 Minuten.

ANLEITUNG

1.

Zuerst alle Zutaten bereitstellen: Gemüse, das verarbeitet werden soll, Gewürze, Bratfett. Dann auch die Kochutensilien: Schneidebrett, scharfes Messer, 2 Pfannen, Kochtopf, Sieb. Zuerst das Gemüse waschen, putzen und trocknen.

2.

Paprika in 5 cm große Stücke schneiden. Der schnellste Weg, eine Paprika vom Kerngehäuse zu befreien: Oben und unten eine 3 cm breite Scheibe abschneiden. Nun lässt sich das Kerngehäuse mit einem langen Messer einfach in einem Stück herausschneiden.

3.

Pfanne erhitzen, Bratöl zugeben. Paprika nacheinander in heißem Öl anbraten und wenden. Sofort mit Deckel schließen, Hitze reduzieren. Nach 5 Minuten wenden.

4.

Nun kommt die Schärfe: Die kleingeschnittene Chilischote (Kerne entfernen) zugeben. Ingwer mit einer Reibe reiben. Statt Ingwer kann auch mit Paprika- oder Chilipulver geschärft werden.

5.

Die Temperatur erhöhen, den Weißwein zugeben und bei großer Hitze schnell verdampfen lassen. Danach die Temperatur wieder reduzieren.

6.

Die Orange auspressen, den Saft zusammen mit etwas Zitronensaft und dem Honig unter die Paprikas mischen.

7.

Die Lauchzwiebeln zugeben. Dann mit Essig, Salz und Pfeffer das Gemüse abschmecken.

8.

Damit das Gemüse nicht verkocht, die Brühe durch ein Sieb in einen Topf abschütten und bei hoher Temperatur ca. 5 Minuten lang reduzieren. Gemüse warm halten bis die Brühe dickflüssig geworden ist. Dann die Brühe wieder zum Gemüse geben.

DAS PASST DAZU

Das süß-scharfe Paprikagemüse passt vorzüglich zu einer gebratenen Hähnchenbrust. Siehe Seite 146.

Das Paprikagemüse kann auch sehr gut im Backofen überbacken werden.

PILZPFANNE

Bellissimo

Als ich die Pleurotus oder Austernpilze zum ersten Mal sah, wusste ich gar nicht, was das ist. Aber mein italienischer Gemüsehändler Giovanni klärte mich auf und kam gleich ins Schwärmen: einfach frische Pilze mit der gerippten Seite nach oben aufs Blech oder in die Pfanne, Knoblauch und Kräuter drüber, würzen, und zum Schluss Olivenöl und Parmesan. Bellissimo!

Zutaten: als Beilage für 4 Portionen: 300 g Pilze (Austernpilze, Champignons, Pfifferlinge) | Butter | 1 Knoblauchzehe | Pfeffer | Salz | Zitronensaft | Kräuter (Petersilie, Basilikum, Oregano) | Parmesan |

Zeit: Fertig in 25 Minuten

1.

Pilze putzen, alle schadhaften oder vertrocknete Stellen entfernen.

Die Kräuter klein hacken.

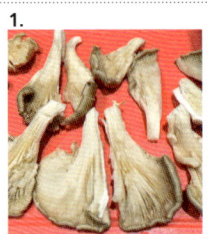

2.

Butter in einer Pfanne schmelzen. Die Knoblauchzehe schälen und durch eine Knoblauchpresse den Saft hineinpressen.
Die Pilze zugeben, kurz anbraten und wenden.

3.

Fünf Minuten lang die Pilze in der Pfanne bei mittlerer Hitze schmoren lassen. Mit Zitronensaft, Salz und Pfeffer würzen.

4.

Die Kräutermischung über die Pilze geben. Etwas Parmesan frisch über die Pilze reiben. Die Pilze mit ein paar Tropfen Olivenöl garnieren.

MARINIERTE CHAMPIGNONS

Genuss zum Auftakt

Die marinierten Champignons waren eines von Aldos Lieblingsrezepten, die immer bei den Gästen gut ankamen. Diese feine Vorspeise, die besonders, wenn sie frisch gemacht ist, sehr köstlich und erfrischend ist, passt gut zu anderen mediterranen Gerichten. Als Auftakt genauso gut wie als Beilage.

Zutaten: als Vorspeise für 4 Portionen: 500 g Champignons | 1,5 dl Olivenöl | 1 dl Wasser | 2 Zitronen | 2 Knoblauchzehen | 6 Pfefferkörner | 2 Lorbeerblätter | Salz |

Zeit: Fertig in 40 Minuten

1.

Die Mischung aus Öl, Wasser, Zitronensaft, Lorbeerblätter, den zerdrückten Knoblauchzehen, Pfefferkörnern und Salz bei mäßiger Hitze zum Kochen bringen, 15 Minuten lang zugedeckt schwach köcheln lassen.

2.

Die Brühe, die nun die Marinade ist, durch ein Sieb geben und noch einmal aufkochen.

3.

Pilze putzen, alle schadhaften oder vertrocknete Stellen entfernen.

Die ganzen Pilze in die Marinade geben und 5 Minuten bei schwacher Hitze ziehen lassen.

4.

Die Pilze in der Marinade erkalten lassen. Mit einem Schaumlöffel herausnehmen, gut abtropfen lassen und servieren.

SCHWEIZER RÖSTI

Krosse Kruste bei weichem Innenleben

Elsi, meine Schweizer Schwiegermutter, machte ihre Rösti immer aus Pellkartoffeln vom Vortag. Da ließ sie nicht mit sich diskutieren. Und zugegeben, ihre Rösti waren perfekt. In Zürich genoss ich bei einer Freundin eine Rösti, die aus rohen Kartoffeln gebacken war, gewürzt mit Kümmel. Im Tessin erfuhr ich, wie Rösti mit Speckwürfelchen und Rosmarin schmeckt. In Basel lernte ich Rösti mit viel Zwiebelringen kennen. Es soll auch Rösti mit Käse geben, mit Tomaten oder Paprika. Hier nun die Rösti, wie ich sie von Elsi gelernt habe.

Zutaten: für 4-6 Portionen: 700 g Kartoffeln (Pellkartoffel) | 50 g Butter | 2 EL Milch | Salz | Pfeffer
Varianten: rohe Kartoffeln | Zwiebel | Speck | Kümmel oder Rosmarin |

Zeit: Fertig in rund 40 Minuten (bei Pellkartoffeln vom Vortag)

ANLEITUNG

1.

Die Kartoffeln waschen, mit der Schale 20 Minuten zu Pellkartoffeln kochen.

2.

Die Kartoffeln in ein Sieb schütten. Wenn sie etwas abgekühlt sind, können sie gepellt werden.

3.

Die gepellten Kartoffeln sollten zur Weiterverarbeitung ganz kalt sein. Am besten Pellkartoffeln vom Vortag verwenden.

4.

Die Kartoffeln mit der Röstiraffel in Stäbchen raffeln

5.

Die geraffelten Kartoffeln mit körnigem Meersalz bestreuen.

Je nach Geschmack auch Kümmel oder Rosmarin untermischen

6.

Die Butter in einer Pfanne erhitzen und die Kartoffelstäbchen zugeben.

7.

Soll die Rösti mit Zwiebeln oder mit Speckwürfel zubereitet werden, nun diese zu den Kartoffeln in die Pfanne geben und gut untermischen.

8.

Die Hitze erhöhen, warten bis die Kartoffeln leicht angebraten sind. Dann die Kartoffeln mit Hilfe eines Tellers oder Deckels wenden.

9.

Die Kartoffelstäbchen zu einem Kuchen zusammenschieben und mit einem Deckel zudecken. Auf kleiner Hitze 20 Minuten backen.

10.

Nach 20 Minuten die Milch darüber gießen und wiederum zugedeckt während etwa 10 Minuten goldbraun backen.

11.

Die goldbraune Rösti mit einer Prise Salz und Pfeffer bestreuen, auf eine Platte schieben und servieren.

12.

Zur Rösti passt Züri Gschnetzelts Seite 138, Kalbsbratwurst oder Spiegeleier.

OFEN-KARTOFFELN

Die Vielseitigen

Die knusprigen Kartoffelstücke eignen sich als Beilage zu Fleisch- oder Fischgerichten. Ergänzen wunderbar einen grünen Salat, aber schmecken auch kalt mit und ohne Dip. Ist der Fleisch- oder Fischgang kompliziert oder zeitaufwändig, lassen sich die Ofen-Kartoffeln entspannt nebenher zubereiten. Als Sorten eignen sich festkochende Kartoffeln. Frische Ernte ist besonders lecker. Die Kartoffeln sollten etwa gleich groß sein, da sie dann eine einheitliche Garzeit haben.

Zutaten: für 4 Portionen: 250 g kleine Kartoffeln z.B. Drillinge | 2 Zwiebeln | 2 EL Olivenöl | körniges Meersalz | Kümmel oder Rosmarin |

Zeit: Fertig in rund 45 Minuten

ANLEITUNG

1.

Die kleinen Kartoffeln gründlich waschen, wenn nötig auch bürsten, denn die Schale bleibt dran.

Keime und schadhafte Stellen ausschneiden.

2.

Das Olivenöl auf ein Backblech geben.

Die Kartoffeln halbieren und mit der Schnittfläche in das Öl legen.

3.

Die Zwiebeln schälen und vierteln.

4.

Die Kartoffeln wenden, sodass die Schnittflächen nun oben liegen.

5.

Die Zwiebelstücke zu den Kartoffeln geben.

Mit körnigem Meersalz bestreuen.

Je nach Geschmack mit Kümmel oder Rosmarin (es geht auch beides) bestreuen.

6.

Den Backofen vorheizen.

Die Kartoffeln bei 180 Grad mit Umluft 30 Minuten backen.

7.

Im Timer des Backofens die Zeit angeben. Nach der gewählten Zeit schaltet sich der Ofen automatisch aus.

8.

Nach einer halben Stunde probieren, ob die Kartoffeln gar sind, dann sofort herausnehmen. Dicke Kartoffelstücke brauchen evtl. 5 Minuten bei 150 Grad länger. Kartoffelstücke heiß servieren – sie schmecken aber auch kalt wie Chips.

DAS PASST DAZU

Lecker und praktisch passen Hähnchenbrust zu den Ofenkartoffeln.
Einfach für die letzten 6-8 Minuten die angebratenen Hähnchenbrust mit Paprika in den Backofen schieben. Rezept siehe Seite 146.

Ofenkartoffeln passen gut zu Fleischgerichten, z.B. zu Rindsfilet Rezept siehe Seite 132.

BRATKARTOFFELN

Ein Gedicht

Das Rezept mit den karamellisierten Kartoffeln hat meine Freundin Hettie in Island kennengelernt.

Dort kommt allerdings nur Meersalz und Zucker an die Kartoffeln. Die Verfeinerung mit den Kräutern ist eine

Weiterentwicklung, die ich gerne übernommen habe.

Zutaten: als Beilage für 4 Portionen: 500 g Kartoffeln | Butter oder Rapsöl | grobes Meersalz | Kräuter wahlweise Rosmarin oder Kümmel | 1 EL Brauner Zucker |

Zeit: Fertig in 25 Minuten

1.

Die Kartoffeln gründlich waschen, wenn nötig auch bürsten, denn die Schale bleibt dran.

Keime und schadhafte Stellen ausschneiden. Kartoffeln in große Stücke schneiden, z.B. vierteln.

2.

Kartoffelstücke in heißem Rapsöl oder Butter bei großer Hitze knusprig anbraten.
Sofort Pfanne mit Deckel schließen, weil es spritzt. Hitze reduzieren.
Nach 5 Minuten Kartoffeln wenden Zugedeckt bei kleiner Hitze weitere 10 Minuten garen.

3.

Bratkartoffeln mit grobem Meersalz und Kräutern würzen. Mit einer Prise braunen Zucker bestreuen und kurz bei großer Hitze schwenken. Der Zucker karamellisiert und gibt einen köstlichen Geschmack.

4.

Die Bratkartoffeln passen zu Gemüse wie Brokkoli, Blumenkohl Seite 60 oder Pilze Seite 68 und zu Fleischgerichten wie Kaninchen an Sauerrahm Seite 152 oder Rindsfilet Seite 132.

LILA KARTOFFELN

Hingucker

Die Lila oder auch Blauen Kartoffeln sind ein Hingucker. Diese Ur-Kartoffelsorte aus Peru hat viele Namen: Trüffel-kartoffel, Vitelotte oder auch Négresse. Der mehlige Geschmack ähnelt dem der Esskastanie.

Zutaten: als Beilage für 4 Portionen: 300g Lila Kartoffeln | Rapsöl | grobes Meersalz | Pfeffer |

Zeit: Fertig in 25 Minuten

1.

Die Lila Kartoffel ist schwierig zu schälen, da die Oberfläche uneben ist. Sie färbt auch ab.
Die Kartoffeln gründlich waschen, die Schale kann dranbleiben.
Die längliche Kartoffeln in große Stücke schneiden.

2.

Kartoffelstücke in heißem Rapsöl knusprig anbraten. Pfanne mit Deckel schließen, Hitze reduzieren. Nach 5 Minuten Kartoffeln wenden.
Zugedeckt bei kleiner Hitze weitere 10 Minuten garen.

3.

Lila Bratkartoffeln mit grobem Meersalz und Kräutern würzen. Die Lila Kartoffeln behalten auch nach dem Garen ihre intensive Farbe, nur die Marmorierung im Inneren nimmt ab.

4.

Zu den mehligen Lila Kartoffeln eignen sich Gerichte mit Sauce.

Als farblicher Kontrast passt Gemüse in leuchtenden Farben wie die karamellisierten Möhrchen Seite 62

SÜSS-BRAT-KARTOFFELN

Knusprig

Süßkartoffeln, auch Batate, sind gar keine Kartoffeln. Süßkartoffeln sind zwar Knollen, die in der Erde wachsen, sie gehören aber zu einer anderen botanischen Familie. Die üblichen Kartoffeln gehören zu den Nachtschattengewächsen, während die Süßkartoffel ein Windengewächs ist.

Zutaten: als Beilage für 4 Portionen: 250 g Süßkartoffeln | 250 g Kartoffeln | Butter | grobes Meersalz | Muskat |

Zeit: Vorbereitung: 20 Minuten | Braten: 20 Minuten

1.

Die Kartoffeln schälen. Mit einem Hobel oder einer Kartoffelreibe die Kartoffeln in hauchdünne Scheiben schneiden.

2.

Butter in einer Pfanne schmelzen. Zuerst die normalen Kartoffelscheiben knusprig anbraten, häufig wenden und salzen. Temperatur reduzieren und für 10 Minuten einen Deckel auflegen.

3.

Nun die Süßkartoffelscheiben zugeben und ebenfalls knusprig anbraten, häufig wenden und salzen. Temperatur reduzieren und für weitere 5 Minuten einen Deckel auflegen. Mit Salz und Muskat würzen. Nun sind auch die Süßkartoffeln gar.

4.

Die Süß-Brat-Kartoffeln passen zu Gemüse wie Brokkoli Seite 60, Blumenkohl Seite 63 und Bratwürstchen. Oder Rind-Gemüse-Frikadellen Seite 124 Rinds-Goulasch Seite 126 Rinder-Schmorbraten Seite 128.

SÜSS-KARTOFFEL-STAMPF

Jungbrunnen

Süßkartoffeln lassen sich auch roh essen, aber erst beim Kochen entfalten sie ihr leicht süßliches Aroma und sind einfach köstlich. Die Knollen sind reich an Vitaminen und Ballaststoffen, also ein Gesund- und Jungbrunnen. Das Zusammenspiel mit der süßlichen Pastinake und dem süßsauren Apfel gibt ein herrliches Aroma.

Zutaten: als Beilage für 4 Portionen: 300 g Süßkartoffeln | 2 Pastinaken | 1 Apfel | 2dl Gemüsebrühe | grobes Meersalz | Peri-Peri (afrikanische Gewürzmischung) | Rosenblüten-Pfeffer |

Zeit: Fertig in 30 Minuten

1.

Die Süßkartoffeln schälen und in große Stücke schneiden. In Gemüsebrühe aufsetzen und zum köcheln bringen. Mit Peri Peri und Meersalz würzen.

2.

Die Pastinaken schälen und in große Stücke schneiden. Zu den Süßkartoffeln geben.

3.

Einen Apfel schälen, in Viertel schneiden, das Kerngehäuse entfernen. Den Apfel zu den Süßkartoffeln geben. Nach ca. 5 Minuten ist das Gemüse weich. Den Topf vom Herd nehmen und das Gemüse stampfen.

4.

Den Süßkartoffelstampf auf einem Teller anrichten, mit Rosenblüten-Pfeffer und Schwarzem Pfeffer aus der Mühle bestreuen. Zum süßlichen Stampf passt herber Chicoree und ein Schnitzel mit Senfkruste Seite 134.

MOUSSE AU CHOCOLAT

für 8 Personen

STE AUS DER
HALLE

...d Zucker schlagen bis sie
...nd. Den Cognac unterrühren.
...el ins Wasserbad stellen,
... die Masse schlagen,
... in Eis-

4 EIER
125 g BUTTER
180 g SCHOKOLA
        (BITTER)
4 EL ZUCKE
3 EL RAHM
4 EL PULVE

EIER
&
MEHLSPEISEN

BANANEN-OMELETTE

Kraftpaket

Dieses Omelette ist ein Kraftpaket für den ganzen Tag. Ich habe es kennen gelernt im Rahmen einer „Schaub Diät", die für Rheumakranke entwickelt wurde, aber auch zum gesunden Abnehmen gut funktioniert. Das Frühstück beinhaltet alles, was für eine ausgewogene Ernährung wichtig ist: Eiweiß, Fett und Kohlenhydrate.

Zutaten: für 2 Portionen: 2 Bananen | 2 Eier | 1 Pr braunen Rohzucker | Butter | Salz |

Zeit: Fertig in 10 Minuten

1.

Alle Zutaten bereitstellen. Bananen schälen und der Länge nach halbieren.

2.

Die Eier mit einer Gabel luftig verkleppern, mit Salz und etwas Zucker würzen.

3.

In einer Pfanne die Butter nicht zu heiß werden lassen. Die Bananen auf der Schnittseite anbraten. Nach einer Minute wenden.

4.

Die verklepperten Eier über die Bananen gießen und stocken lassen. Nach einer weiteren Minute ist das Bananen-Omelette fertig.

SPIEGELEI & CO

Für Warmfrühstücker

Zugegeben – ich bin ein Warmesser. Selbst zum Frühstück liebe ich einen kleinen warmen Magenschmeichler. Zuerst ein Glas heißes Wasser und dann ein gekochtes Ei. Oder Champignons mit Lauchzwiebeln zu einem Rührei. Auch ein Spiegelei und Gemüse mit Schnittlauch bedeckt finde ich toll.

Zutaten: für 2 Portionen: 2 Eier | 2 Tomaten | 100 g Zucchini | Butter | Salz | Pfeffer | Schnittlauch |

Zeit: Fertig in 10 Minuten

1.

Alle Zutaten bereitstellen. Tomaten halbieren, Schnittlauch in kleine Röllchen schneiden.

2.

Zucchini - oder wahlweise anderes Gemüse (Paprika, Lauchzwiebeln, Champignon) in Streifen schneiden.

3.

In einer Pfanne die Butter nicht zu heiß werden lassen. Zuerst die Tomaten, dann die Zucchini (oder wahlweise anderes Gemüse wie Paprika, Pilze, Lauchzwiebeln) anbraten. Nach einer Minute wenden. Das Gemüse aus der Pfanne nehmen und warm stellen.

4.

Eier in einer Schüssel aufschlagen, Butter in der Pfanne erhitzen, Eier zugeben und eine Minute brutzeln lassen. Die Spiegeleier mit dem Gemüse servieren, mit Salz und Pfeffer würzen, den Schnittlauch dicht über das Gemüse streuen.

BADISCHE SPÄTZLE

Machen glücklich

Auch die Badischen Spätzle gehören in die Sammlung unserer Familienrezepte. Meine Mutter lernte es von ihrer badischen Schwiegermutter Pauline. Schon als Kinder haben mein Bruder und ich gerne beim Spätzle kochen geholfen. Spätzle sind einfach zu machen, brauchen aber beim Rühren Kraft und Ausdauer. Beim Pressen mit dem Spätzlewolf dann noch einmal. Mit der leckeren Soße vom Kalbsragout oder in Butter aufgebacken am nächsten Tag sind sie einfach köstlich und machen alle restlos glücklich.

Zutaten: für 4-6 Portionen: 400 g Mehl | 3 Eier | Salz | 2 dl lauwarmes Wasser

Zeit: Zubereitung: 40 Minuten | Kochen: 1 Minuten pro Pressung.

ANLEITUNG

1.

Das Mehl abwiegen, Eier und Salz bereitstellen.

2.

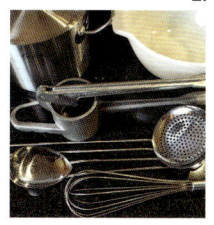

An Geräten braucht es:
1 Rührschüssel, 1 Schneebesen,
1 großen Löffel, 1 großen Topf,
den Spätzlewolf, 1 Schöpflöffel,
1 Servierschüssel mit Deckel

3.

Das Mehl in eine Rührschüssel geben. Die ganzen Eier in die Mulde in der Mitte schlagen und mit dem Salz würzen.

4.

Mit einem Schneebesen die Eier verrühren und so nach und nach immer mehr Mehl mitnehmen.

5.

Wenn das Rühren schwer wird, so nach und nach etwas lauwarmes Wasser zugeben. Immer weiter rühren, der Teig muss ganz glatt werden.

6.

Wenn sich der Teig beim Rühren von der Schüssel löst und Blasen bildet, ist er fertig.

7.

In einem großen Topf Wasser zum kochen bringen und salzen. Den Spätzlewolf auf den Topfrand legen und öffnen.

8.

Mit einem großen Löffel die erste Portion Teig in den Spätzlewolf geben. Der Teig muss fest sein, darf nicht vom Löffel laufen.

9.

Den Wolf langsam zudrücken und mit einer Drehbewegung den Teig ins kochende Wasser pressen. Das Wasser soll leise sieden, nicht brodeln. Sonst läuft der Topf über.

10.

Nach ca. einer Minute schwimmen die Spätzle im Wasser oben und können mit dem Schöpflöffel abgeschöpft werden. Abtropfen lassen und in einer Servierschüssel mit Deckel warm halten.

11.

Den Vorgang so lange wiederholen bis die Teigschüssel leer ist und die Servierschüssel voll.

12.

Zu den Badischen Spätzle passen Kalbsragout (Rezept Seite 140) und Gemüse.
Die Spätzle schmecken auch sehr lecker in Butter geschwenkt und aufgebacken am nächsten Tag.

NUDELPFANNE MIT EI

Gelingt immer

Das ist so ein Klassiker in der Deutschen Küche. Hat meine Mutter schon gekocht – koche ich immer wieder gerne, mit Gemüse, das gerade da ist. Das Gericht ist schnell gemacht, leicht und gesund, gelingt eigentlich immer. Ein Familiengericht das Kinder mögen, Gäste auch.

Zutaten: für 4 Portionen: 100 g Bandnudenl | Rapsöl | 2 Zwiebeln | 1 Möhre | 2 Champignons | 2 Tomaten | 2 Lauchzwiebeln | 2 Eier | Meersalz | Schwarzer Pfeffer | Kurkuma | Schnittlauch

Zeit: Fertig in rund 30 Minuten

ANLEITUNG

1.

Zwiebel schälen und in Scheiben schneiden.

Möhre schälen.

2.

Ein Liter Wasser zum Kochen bringen. 1 TL Salz zugeben. Bandnudeln zugeben, Hitze reduzieren, Timer auf 8 Minuten (Zeitangabe siehe Nudel-Packung) stellen.
Nudeln leise köcheln lassen.

3.

Rapsöl, oder Sonnenblumenöl, in einer Pfanne erhitzen. (Olivenöl eignet sich nicht zum anbraten) Zwiebelscheiben zugeben und im Öl anbraten, mehrfach wenden. Hitze reduzieren.

4.

Möhre in Scheiben schneiden.

Champignons in Scheiben schneiden.

5.

Möhre und Champignons zu den Zwiebeln geben, mehrfach wenden.

6.

Nach ca. 8 Minuten Kochzeit (Zeitangabe siehe Nudel-Packung) die Bandnudeln in einem Sieb abschütten und gut abtropfen lassen.

7.

Tomaten und Lauchzwiebeln in Scheiben schneiden.

Die Tomaten in die Pfanne zu den anderen Gemüsen geben und anbraten.

8.

Zwei Eier in einer Schüssel verrühren.
Mit Salz und Pfeffer würzen.

9.

Die Hitze unter der Pfanne erhöhen. Die abgetropften Nudeln zugeben. Die Eier über die Nudeln geben. Kurz anstocken lassen, dann wenden, Hitze reduzieren. Alles wenden, Lauchzwiebel zugeben.

10.

Würzen mit Meersalz, Schwarzem Pfeffer aus der Mühle, Kurkuma. Nudel-Gemüse-Gericht mit feingeschnittenem Schnittlauch bestreut servieren.

11.

Sind die Nudeln mit Ei schön kross gebraten, auf Tellern anrichten.

12.

Dazu passt sehr gut ein grüner Blattsalat.

SPARGEL-GRATIN

Die leckere Kruste

Eier, Käse, Sahne oder Milch sind die klassischen Zutaten für einen Gratin. Inzwischen gehört das Gratinieren auch in der Deutschen Küche zum Klassiker. Was die Lasagne für Italien, der Gratin dauphinois (Kartoffelgratin) für Frankreich, Raclette-Gratin für die Schweiz, ist der Gemüsegratin für die Deutsche Küche. Dies Spargelrezept schmeckt genauso gut mit vielen anderen Gemüsesorten von Champignons, Tomaten bis Zucchini oder Zwiebeln. Beim Gratinieren oder Überbacken bildet sich auf der Oberfläche der Speise durch starke Oberhitze eine Kruste, die das Gericht so lecker macht.

Zutaten: für 2 Portionen: 1 Bund grüner Spargel (ca. 20 Stangen) | 2 Eier | 120 ml Sahne | 100 g würziger Käse | Butter | Schwarzer Pfeffer | Körniges Kräutersalz |

Zeit: Vorbereitung: 20 Minuten | Gratinieren: 20 Minuten

ANLEITUNG

1.

Das untere Drittel der grünen Spargel schälen und die Enden abschneiden.

2.

Die Spargelstangen in kochendem Salzwasser 6 Minuten blanchieren.

3.

Zutaten abmessen und bereitstellen. Eier, Sahne, Käse, Butter und die Gewürze. Den Backofen auf 180 Grad vorheizen.

4.

Während der Spargel blanchiert die Eier in eine Rührschüssel schlagen. Mit etwas körnigem Kräutersalz verquirlen.

5.

Mit einer Gabel oder einem Schneebesen werden die Eier luftig aufgeschlagen. Die Sahne zugeben und weiterschlagen bis sie dickflüssig wird.

6.

Nach 6 Minuten die Stangenspargel in ein Sieb abschütten.

7.

Eine Gratinform buttern. Die Stangenspargel darin nebeneinander auslegen, sodass die Spargelspitzen in einer Richtung liegen.

8.

Die Eiersahnemasse über die Spargel gießen.

9.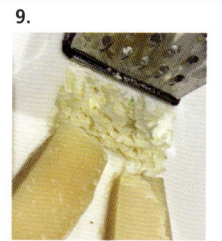

Den Käse reiben, oder bereits fertig geriebenen Käse verwenden.

10.

Den Käse gleichmäßig über der Gratinform verteilen. Mit der Pfeffermühle Schwarzen Pfeffer darüber mahlen.

11.

Im vorgeheizten Backofen bei 180 Grad etwa 20 Minuten goldbraun backen.

12.

Den gratinierten Spargel mit Salat servieren.

EI AUF SPINAT UND ZIEGENKÄSE

Frische Variante

Spinat mit Ei zu kombinieren ist nichts Neues. Aber den jungen Blattspinat nur ganz kurz, zusammen mit Tomaten, zu dämpfen und dann mit lauwarmen Ziegenkäse zu servieren ist eine junge frische Variante. Einfach lecker.

Zutaten: für 4 Portionen: 200 g junger Blattspinat | 1 rote Zwiebel | 1 Tomatenrispe | 1 Chilischote | Butter oder Öl | 100 g Ziegenfrischkäse | 4 Eier | Zitronensaft | Pfeffer | Salz | Kresse |

Zeit: Fertig in rund 20 Minuten

ANLEITUNG

1.

Zutaten abmessen und bereitstellen.
Den Spinat gründlich unter kaltem Wasser waschen und trocken schleudern.

2.

Die rote Zwiebel schälen und in dünne Ringe schneiden.

3.

Butter oder Öl in einem hohen Topf heiß werden lassen. Die Zwiebelscheiben darin anschwitzen. Eine Prise Salz zugeben.

4.

Eine rote Chilischote aufschlitzen. Das Kerngehäuse herauskratzen. Vorsicht - die Chilisamen sind sehr scharf.

5.

Die ganze Chilischote und eine Tomatenrispe zu den Zwiebeln geben und anbraten.

6.

Das Gemüse mit der heißen Brühe ablöschen, kurz aufwallen lassen. Dann die Hitze reduzieren.

7.

Den Topf mit der ersten Hälfte Blattspinat füllen. Vorsichtig wenden, die Temperatur erhöhen.

8.

Sobald der Spinat in der Brühe aufgekocht ist, fällt er zusammen. Dann den restlichen Spinat zufügen und vorsichtig wenden. Einen Deckel auflegen und die Hitze reduzieren.

9.

Den Ziegenkäse in kleine Stücke zerbröckeln.

10.

Die Hälfte des Ziegenkäses vorsichtig unter den Spinat mischen. Der Spinat ist in 3 Minuten gar. Mit Salz, Pfeffer und etwas Zitronensaft abschmecken.

11.

Die hartgekochten Eier pellen und zum Erwärmen zum Spinat geben. Die Chilischote vor dem Anrichten entfernen.

12.

Das Spinatgemüse auf einer Platte anrichten. Die andere Hälfte des Ziegenkäses darüber verteilen. Die Eier halbieren. Mit der Salz- und Pfeffermühle bestreuen und der Kresse garnieren.

APFEL-KÜCHLEIN

Lieben nicht nur Kinder

Wer mag das nicht? Der Traum jeder Kindheit. Ich liebte die Apfelküchlein meiner Mutter, die sie mit Zucker und Zimt servierte. Aber am köstlichsten waren die Apfelküchlein bei Tante Henny, denn sie hatte Hühner. Ich durfte die Eier im Stall holen. Je nachdem wie fleißig die Hennen gelegt hatten, gab es viel oder sehr viel Apfelküchlein. Die Hennen hatten Namen und kamen gackernd gerannt wenn Tante Henny sie rief. Das Lieblingshuhn ging wie ein Hündchen mit ihr im Garten spazieren. Ruhte Tante Henny auf der schattigen Bank, lag das Huhn zu ihren Füßen in einer sandigen Kuhle.

Zutaten: für 4 Portionen: 2 Äpfel | 4 Eier | 1 EL Mehl | 1 EL braunen Rohzucker | Butter | Zitronensaft | 1 TL Zimt | Salz |

Zeit: Fertig in rund 20 Minuten.

ANLEITUNG

1.

Zutaten abmessen und
bereitstellen.
Eier, Mehl, Äpfel, Zucker und die
Gewürze.

2.

Den Apfel schälen oder nicht
schälen ist hier die Frage.
In jedem Fall die Äpfel in dicke
Scheiben schneiden und das
Kerngehäuse mit einem Stecher
ausstechen.

3.

Eine Zitrone auspressen.
Die Apfelscheiben mit dem
Zitronensaft beträufeln, damit sie
nicht braun werden.

4.

Die Eier in eine Rührschüssel
schlagen.

5.

Mit einem Schneebesen werden die
Eier luftig aufgeschlagen.

6.

Das Mehl in einer kleinen Schale
mit Wasser anrühren, bis sich das
Mehl ganz aufgelöst hat und keine
Klümpchen da sind.

7.

Das im Wasser angerührte Mehl zu
den Eiern geben und gut mit dem
Schneebesen vermischen. Mit Salz
und Zucker würzen.

8.

Die Apfelscheiben in die Eiermasse
geben.

9.

In einer großen Pfanne die Butter
erhitzen. Die Apfelscheiben in der
heißen Butter anbraten, mit etwas
Eimasse übergießen.
Nach einer Minute wenden.
Nach einer weiteren Minute sind
die Apfelküchlein fertig.

10.

Wenn die Apfelküchlein alle zum
selben Zeitpunkt fertig sein sollen,
mit zwei Pfannen gleichzeitig
arbeiten. Den Vorgang in einer
zweiten Pfanne wiederholen.

11.

In einer Schale Zucker und Zimt
vermischen.

12.

Die Apfelküchlein auf Tellern
servieren und mit der
Zucker-Zimt-Mischung bestreuen.

LINSENSUPPE MIT ARTISCHOC...

Rezept von
Heiner Amman[n]
Restaurant
Krone,
Regensberg
...

...Linsen über Nacht im kalten Wasser e[inweichen]
...eichen oder 10 Minuten
...vorkochen. Wasser abgiessen.
...Eschalotten in Butter anzie-
...igen, würzen und mit Rot-
...as Wasser dazugeben und
...Minuten weich kochen dann

...benfalls weich kochen, die
...und im Backofen warm
...Heu entfernen, den Boden
...schneiden und als Einlage
...eller verteilen.

...ierte Linsensuppe mit dem Schlag-
...n vermischen und mit 20g Butter aufschwingen

**PRINZIPIEN MUSS MAN ÜBER
BORD WERFEN KÖNNEN.**
                        H. Ammann

Die Suppe mit caye[nne]
pfeffer und wenig
...nen saft abschm ec...

in die Teller,
dekorieren.
mit den Ar-
tischocken-
blättern.

200 g LINSEN
50 g Eschalo...
20 g BUTTER
1 dl ROTWEI...
1 dl WASSER
1 ARTISCHO...
40 g SCHLA...
20 g BUTTE...
SALZ, PFE...
CAYENNE...
ZITRONEN...

ALLTAGS-GERICHTE

IE ICH SIE MACHE — LINSENS

e Linsen in viel Wasser 10 Minuten vorko
'asser abgiessen, mit Rotwein auffülle
schwimmen. Bouillon würfel, Lorbeerbla
Thymian, Salz und Pfeffer hinzugeben
Die Schwarte vom Speck lösen, den Spe
in Scheiben schneiden und beides i
anbraten.
Das Gemüse kleinschneiden. Die fe
hackte Zwiebel zum Speck geben un
ziehen lassen. Dann das restlich
müse dazugeben und kurz anb
Speck und Gemüse zu den Lin
geben.
Die geschälten und in grosse S
schnittenen Kartoffeln dazu ge

Ich bin mit Linsensuppe gross geworden. Jeden Samstag ging
das so: Die Linsen wurden auf
dem Tisch ausgebreitet und ich
musste die schlechten aussortie
ren. Dann wurden sie gewaschen
und mit Wasser aufgesetzt. Wir
gingen Einkaufen und wenn wir
zurückkamen waren die Linsen
fast gar. Nun wurden Kartoffeln geschält und in kleine Würfel
geschnitten, dazugegeben. Ein
Löffel angerührtes Mehl, Salz
und eine kleingeschnittene
Knoblauchwurst mit einem Löf
Essig waren die Krönung. Dazu
trank mein Bruder und ich Banane
milch mit Zucker.

MUTTIS LINSEN-TOPF

Kocht sich fast von selbst

Das Samstag-Ritual in unserer Familie ging so: Die Linsen mit viel Wasser kochen, Temperatur runter, Deckel drauf. Dann machten wir den Wocheneinkauf, auf dem Markt, beim Metzger usw.. Wenn wir zurückkamen waren die Linsen fast gar. Noch kurz Kartoffeln und Gemüse mitkochen, Knoblauchwurst kleinschneiden, mit Essig würzen. Fertig.

Zutaten: für 4 Portionen: 250 g grüne Linsen | 1 Zwiebel | 2 Kartoffeln |1 Möhre | 1/2 Stange Lauch | 2 Lorbeerblätter | 1 l Wasser oder Gemüsebrühe | 2 EL Essig | Pfeffer | Salz | Petersilie |

Zeit: Fertig in 95 Minuten

1.

Die Linsen im Sieb waschen, dann in viel Wasser 10 Minuten kochen, abschütten, erneut mit viel Wasser zum Kochen bringen, Lorbeerblätter, die geviertelte Zwiebel zugeben, salzen, dann auf kleinster Flamme bei geschlossenem Deckel weiter garen.

2.

Die Kartoffeln schälen und vierteln. Nach einer halben Stunde Garzeit zu den Linsen geben, wenden, mit Deckel verschließen und für weitere 10 Minuten kochen. Evtl. etwas Brühe oder Wasser zufügen.

3.

Während die Kartoffeln garen, die Möhre schälen und in große Stücke schneiden. Lauch putzen und ebenfalls in Stücke schneiden. Zu den Linsen geben. Evtl. etwas Brühe nachfüllen.

4.

Knoblauchwurst oder Würstchen in kleine Stücke schneiden und ganz zum Schluss zu den Linsen geben. Nun noch mit Salz, Pfeffer und Essig würzen. Mit Petersilie garnieren.

ROTE LINSEN EXOTISCH

Mal was anderes

Auch mein Neffe Stephan liebt Linsen. Aber er bereitet sie ganz anders zu als seine Großmutter. Mit Kokosmilch und den Gewürzen Kurkuma und Chili werden die roten Linsen zu etwas Exotischem. Als Beilage gibt es bei ihm Garnelen oder Hühnerspieße vom Grill.

Zutaten: für 4 Portionen: 125 g rote Linsen | Bratöl | 1-2 Zwiebeln | 1 Dose gew. Tomaten | 1 Dose Kokosmilch | 500 ml heiße Gemüsebrühe | Kurkuma | Chilipulver | Zitronensaft | Pfeffer | Salz | Petersilie |

Zeit: Fertig in 30 Minuten

1.

2.

Feingewürfelte Zwiebel in Öl anbraten, eine Prise Salz zugeben. und gut wenden. Dann die roten Linsen zufügen und weiter wenden. Mit etwas heißer Gemüsebrühe löschen.

Die gewürfelten Tomaten zugeben, köcheln lassen. Dann die Kokosmilch zufügen und weiter köcheln lassen. Die Linsen quellen langsam auf. Deshalb ist es wichtig immer wieder etwas von der heißen Gemüsebrühe unterzurühren.

3.

4.

Nach 20 Minuten sind die Linsen gar. Nun kann abgeschmeckt werden mit Kurkuma, Chilipulver, Zitronensaft, Salz und Pfeffer aus der Mühle. Wer mag kann die roten Linsen mit dem Pürierstab zu einer glatten Creme verarbeiten. Mit Petersilie garnieren.

Als Beilage passen Garnelen oder Hühnerspieße vom Grill sehr gut.

GRÜNE SOSSE

Frühlings-Fitmacher

Im Mai gab es bei meinen Tanten in Hessen Grüne Soße. In der Wahl der Kräuter waren sich die Cousinen aber keineswegs einig. Tante Henny, mit großem Garten, schwor auf traditionell sieben Kräuter: Borretsch, Kerbel, Kresse, Petersilie, Pimpinelle, Sauerampfer und Schnittlauch. Tante Gotchen, die bessere Köchin, ergänzte mit dem was es gerade gab: Zitronenmelisse, Dill, Liebstöckel. Heute ist es einfach: es gibt die sieben Kräuter bereits zusammengestellt im Handel zu kaufen.

Zutaten: für 4 Portionen: **1 Bund 7 Kräuter:** Borretsch, Kerbel, Kresse, Petersilie, Pimpinelle, Sauerampfer, Schnittlauch | **Variante:** Dill | Liebstöckel | Zitronenmelisse | 200 g saure Sahne | 150 g Crème fraîche | 150 g Sahnejoghurt | 1 EL Essig | 1 EL Öl | Salz | Pfeffer | 2 gekochte Eier |

Zeit: Zubereitung: 25 Minuten | Kühlen: 2 Stunden

ANLEITUNG

1.

Zuerst alle Zutaten bereitstellen: Kräuter, Milchprodukte, Gewürze. Die Kräuterblättchen von den Stielen zupfen. Kräuter vorsichtig in stehendem Wasser waschen und trocken schleudern.

2.

Schnittlauch und große Kräuter klein schneiden. Zuerst etwas von der sauren Sahne in einen Mixbecher geben, den Becher mit Kräutern füllen. Mit dem Pürierstab zerkleinern, weitere Kräuter zugeben.

3.

Die Kräuter so nach und nach mit dem Pürierstab zerkleinern, saure Sahne, Crème fraîche und Sahnejoghurt zugeben. Alles solange bearbeiten, bis eine glatte grüne Soße entstanden ist.

4.

Mit Salz, Pfeffer, Essig (evtl. Zitronensaft) und Öl abschmecken und mindestens 2 Stunden durchziehen lassen, wer es kalt mag im Kühlschrank.

5.

Grüne Soße mit Pellkartoffeln, gekochtem Ei und Kräuterblättchen servieren. Klassisch gehört noch ein gekochtes gehacktes Ei darüber gestreut.

6.

Die Grüne Soße ist eine Glaubensfrage. Pimpinelle kann durch Zitronenmelisse ersetzt werden. Dill ist umstritten. Ein Esslöffel Senf ist erlaubt. Zwiebel ja - Knoblauch nein. Mittelmeerkräuter auf keinen Fall. Warum also nicht mehrere Soßen-Varianten servieren.

DAS PASST DAZU

Traditionell gekochte Kartoffeln und hartgekochte Eier

Statt Ei passt auch ein Wiener Schnitzel (Rezept Seite 135) gut zur Grünen Soße.

Grüne Soße passt auch ganz vorzüglich zu Spargel.

Thunfisch (Seite 16) in einem See aus Grüner Soße sieht nicht nur gut aus, es ergänzt sich geschmacklich ganz ausgezeichnet.

TOMATEN-WÄHE

Schweizer Klassiker

In der Schweiz gehören Wähen zum wöchentlichen Essalltag. Ob süß oder pikant, rund oder eckig, mit oder ohne Guss, die meisten traditionellen Rezepte sind vegetarisch. Der Teig ist Mürbe- oder Blätterteig, idealerweise selbstgemacht. Im Fertigteig werden leider oft ungünstige gehärtete Fette verwendet.

Zutaten: für 12 Portionen: Mürbeteig (Seite 164) oder 1 Pck. Blätterteig | 500 g kleine Tomaten | 200 g Quark | 200 g Frischkäse | 2 Eier | Schnittlauch | Petersilie | Oregano | Pfeffer | Salz | **Variante:** 2 EL Parmesan |

Zeit: Zubereitung 15 Minuten | Backen 35 Minuten

1.

Den Teig auf Backpapier in eine Runde Form legen. Den Boden mit einer Gabel mehrmals einstechen. Den Backofen auf 200 Grad vorheizen. Eier, Frischkäse und Quark mit dem Schneebesen verrühren. Mit Salz und Pfeffer würzen.

2.

Die Eier-Creme auf dem Teigboden verteilen.
Die Kräuter sehr fein schneiden und gleichmäßig darüber streuen.

3.

Die Tomaten halbieren und mit der Schnittfläche nach oben in die Creme setzen. Nochmals leicht mit Salz und Pfeffer bestreuen. Wer es würzig liebt, gibt nun noch 2 EL Parmesan über die Wähe.

4.

Die Tomatenwähe in der unteren Hälfte des Backofens bei 200 Grad 35 Minuten backen. Die Wähe auf einem Backrost etwas abkühlen lassen bevor das Backpapier entfernt und die Wähe angeschnitten wird. Warm servieren mit je 1 EL Feigensenf und Ingwersauce.

EINE ART PIZZA

Was der Kühlschrank hergibt

Zu Zeiten, als man Pizza nicht einfach per Kurier bestellte, gab es bei einem WG-Fest diese spezielle Pizza. Der Belag war vermutlich eine Mischung von allem was der Kühlschrank hergab. Die pikante Tomatensauce war selbstgekocht.

Zutaten: für 12 Portionen: 1 Pck. Blätterteig | Mozzarella | 100 g Schinken | 2 Zwiebeln | Sardellen | 50 g Oliven | 2 harte Eier | 1 Dose Artischockenböden | getrocknete Tomaten | Parmesan | frische Kräuter | Olivenöl | **Sauce:** 2 Knoblauchzehen | 1 Zwiebel | Öl | 4 Tomaten | 1 EL Tomatenmark | Zitronensaft | 1 EL Zucker | Tabasco | Crema Balsamico | Pfeffer | Salz ||

Zeit: Zubereitung: 40 Minuten | Backen: 20 Minuten

1.

Den Teig auf Backpapier auf ein Backblech legen. Den Boden mit einer Gabel mehrmals einstechen. Den Backofen auf 200 Grad vorheizen. Mozzarella in Scheiben schneiden und auf dem Teig verteilen. Salami oder Schinken darüber.

2.

Als nächste Schicht, Zwiebeln in Ringe geschnitten, hartgekochte Eier als Scheiben, kernlose Oliven, getrocknete Tomaten und Artischockenböden, verteilen.

3.

Nun die Sauce zubereiten: In einer Pfanne die feingehackte Zwiebel und Knoblauchzehe in Öl andünsten. Tomatenmark zugeben und mit Weißwein ablöschen. Die kleingeschnittenen Tomaten zugeben, würzen und 30 Min. köcheln. Mit Balsamico abschmecken.

4.

Die Tomatensauce auf der Pizza verteilen. Frische Kräuter darüber streuen. Sardellen kreuzweise darauf legen. Die Pizza reichlich mit Parmesan bestreuen und ein paar Spritzer Olivenöl darüber verteilen. Für 20 Minuten bei 200 Grad in den Backofen.

WURZELSUGO MIT RIND

Fast ohne Kalorien

Low carb: Dieses Rezept ist eine vollwertige Mahlzeit ohne Kohlenhydrate. Das Wurzelsugo lässt sich beliebig ausrichten: würzig, scharf oder leicht süß. Zusammen mit dem Rinderhack steht in einer halben Stunde ein leckeres Essen - fast ohne Kalorien - auf dem Tisch.

Zutaten: für 4 Portionen: 500 g Rindsgehacktes | 2 Zwiebeln | 2 EL Rapsöl | 100 g Sellerie | 100 g Pastinaken oder Petersilienwurzeln | 100 g Süßkartoffeln oder Möhren | 50 g Datteln oder Rosinen | 1 Stück Ingwer | Ketchup | Zimt | Salz | Schwarzer Pfeffer | Worcester Sauce | Tabasco | Peri Peri | Balsamico Creme | Sweet&Sour Sauce | Frische Pfefferminzblättchen |

Zeit: Fertig in 30 Minuten

Beilagen: Teigwaren | frischer grüner Salat

ANLEITUNG

1.

Zuerst alle Zutaten bereitstellen: das Fleisch, das Gemüse und die Gewürze. Dann auch die Kochutensilien: Schneidebrett, scharfes Messer, Bräter, Pfannenwender

2.

In einem Bräter das Rapsöl sehr heiß werden lassen und das Rinderhack sehr scharf anbraten. Wenden, bis alle Seiten kräftig angebraten sind, Hitze reduzieren, Deckel auflegen.

3.

Zwiebeln häuten und fein in Würfel schneiden. Zum Fleisch geben, Hitze erhöhen, eine Prise Salz dazu, unter wenden anbraten. Hitze reduzieren, Deckel auflegen.

4.

Sellerie schälen, in feine Streifen schneiden. Zum Fleisch geben, Hitze erhöhen, unter wenden anbraten. Hitze reduzieren, Deckel auflegen.

5.

Pastinaken oder Petersilien- wurzeln schälen, in feine Streifen schneiden.Zum Fleisch geben, Hitze erhöhen, unter wenden anbraten. Hitze reduzieren, Deckel auflegen.

6.

Zum Schluss die Süßkartoffeln mit der kürzesten Garzeit. Süßkartoffeln oder Möhren schälen, in feine Streifen schneiden. Zum Fleisch geben, Hitze erhöhen, unter wenden anbraten. Hitze reduzieren, Deckel auflegen.

7.

Es ist wichtig, während der ganzen Garzeit immer wieder den Deckel aufzulegen, da die Flüssigkeit, die das Gemüse zieht, sonst verdampft. Wenn das Sugo zu trocken ist, etwas Wasser oder Brühe zugeben.

8.

Ingwer schälen und mit einer Reibe fein reiben. Zum Sugo geben.

9.

Datteln in Ringe schneiden und zum Sugo geben und untermischen.

10.

Nun das Sugo je nach Geschmacksvorliebe würzen.
Basis: Ketchup, Zimt, Salz, Pfeffer
Würzig: Worcester Sauce, Tabasco
Scharf: Peri Peri, Tabasco
Leicht süß: Balsamico Creme, Sweet&Sour Sauce

11.

Das Sugo mit frischen Minzeblättern bestreuen

12.

Sugo heiß servieren

RISOTTO MIT GRÜNEM UND WEISSEM SPARGEL

Die Kunst des Rührens

Die Kunst beim Risotto Kochen besteht im Rühren und darauf zu achten, dass er immer die richtige Feuchtigkeit hat. Der Reis darf nie schwimmen, aber auch nicht trocken werden. Es erfordert also die volle Aufmerksamkeit. Schält man die Spargel direkt neben dem Herd und behält den Risotto dabei fest im Blick, rührt immer mal wieder, fügt etwas Brühe nach, wird der Risotto wunderbar sämig.

Zutaten: für 4 Personen: 300 g grüner Spargel | 300 g weißer Spargel | 1 Tas Risotto-Reis | 1 Zwiebel | 1 Tas Weißwein | 3 Tas Gemüsebrühe | 50 g Butter | Muskat | 1 TL Zucker | Pfeffer | Salz | 50 g geriebener Parmesan-Käse |

Zeit: Fertig in rund 50 Minuten.

ANLEITUNG

1.

Zuerst alle Zutaten bereitstellen: Spargel, Parmesan gerieben, Zwiebel, Gewürze, Butter. Dann auch die Kochutensilien: Schneidebrett, Spargelschäler, scharfes Messer, Pfannenwender, 2 Kochtöpfe, Schneebesen.

2.

Eine Zwiebel schälen und sehr fein würfeln. Die Zwiebel mit einer Prise Salz in heißer Butter anbraten bis sie glasig ist, ohne dass sie Farbe annimmt. Das Salz entzieht der Zwiebel Flüssigkeit, das verstärkt das Zwiebelaroma beim Anbraten.

3.

Die Zwiebel beim Anbraten häufig wenden. Dann die Tasse Reis zugeben und ebenfalls anbraten und wenden. Mit einer Tasse Weißwein ablöschen, die Flüssigkeit rasch einkochen lassen, dann die Hitze reduzieren.

4.

Drei Tassen Gemüsebrühe vorbereiten. Die Brühe wird in einem Topf heiß gehalten, ohne zu kochen. Sobald die Flüssigkeit im Risotto verkocht ist etwas heiße Brühe zugeben und rühren.

5.

Den weißen Spargel waschen, schälen und die Enden abschneiden. Zwischendurch immer wieder den Risotto rühren und die Körner vom Rand und Boden des Topfes schaben.

6.

Wenn die Flüssigkeit verkocht ist etwas heiße Brühe zugeben und rühren. Dabei immer nur so viel zugießen, dass der Reis gerade bedeckt ist. Die Brühe sollte heiß sein, damit der Garprozess nicht gestoppt oder verzögert wird.

7.

Beim Spargel schälen den Risotto immer im Blick behalten und rühren. Den geschälten Spargel in ca. 4 cm lange Stücke schneiden. Die Spargelspitzen separieren.

8.

Den weißen Spargel in etwas Wasser 8 Minuten dämpfen. Mit Salz, Muskat und Zucker würzen. Nun die Spargelspitzen zufügen und für weitere 5 Minuten köcheln lassen. Den Spargel abschütten, das Wasser aufheben, bei Bedarf für den Risotto verwenden.

9.

Den grünen Spargel schälen und in ca. 2 cm lange Stücke schneiden. Die Spargelspitzen separieren.

10.

Nachdem der Risotto 30 Minuten geköchelt hat ist er fast gar. Nun den grünen Spargel (ohne die Spitzen) und den Rest der Gemüsebrühe zugeben. Vorsichtig wenden und für 5 Minuten bei geschlossenem Deckel ziehen lassen.

11.

Nun die grünen Spargelspitzen unter den Risotto heben. Ein Stück Butter und den Parmesan zufügen. Vorsichtig wenden. Bei Bedarf noch etwas von dem Spargelwasser zufügen. Mit Salz, Zucker, Muskat und Pfeffer würzen.

12.

Den fertigen Risotto 3 Minuten bei geschlossenem Deckel ruhen lassen. In der Zeit den weißen Spargel abtropfen lassen, kurz in heißer Butter schwenken und zusammen mit dem Risotto anrichten. Mit etwas Parmesankäse bestreuen.

MARINIERTER KÜRBIS AUF WILDREIS

Gesunder Genuss

Elsi, meine Schweizer Schwiegermutter, pflanzte in ihrem Garten verschiedene Kürbissorten an. Durch sie lernte ich viele Rezepte kennen, so auch dieses: Roher, marinierter Kürbis hat ein herrlich erfrischendes Aroma.

Zutaten: für 4 Portionen: 400 g Hokkaidokürbis | 30 g Pinienkerne/Kürbiskerne | **Wildreis:** 100 g Wildreis | 2 Zwiebeln | 2 dl Wasser | 50 g Datteln | **Reis-Marinade:** 1 Schalotte | 1 Bio-Zitrone (Schale + Saft) | 2 EL Olivenöl | 2 EL Reisessig | Salz | Pfeffer | **Kürbis-Marinade:** 1 EL Honig | 1 EL Sweet&Sour Sauce | 2 EL Olivenöl | 2 EL Balsamico | Salz | Pfeffer | **Creme:** 60 g Schichtkäse | Mango Chutney | Salz |

Zeit: Zubereitung: 60 Minuten | Marinieren: 20 Minuten

ANLEITUNG

1.

Den Wildreis in einer trockenen Pfanne anrösten. Mit 2 dl Wasser ablöschen, die geviertelten Zwiebeln zugeben, salzen und bei kleiner Hitze bei geschlossenem Deckel 20 Minuten garen.

2.

Reis-Marinade: Die Schalotte schälen und fein würfeln. Die Schale der Bio-Zitrone abreiben und den Saft der Zitrone auspressen.

3.

Aus Schalottenwürfel, Zitronenschale und Saft, Reisessig, Öl, Salz und Pfeffer die Reis-Marinade anmischen.

4.

Den Wildreis abgießen, abtropfen lassen und unter die Reis-Marinade mischen.

5.

Den Kürbis waschen, trocknen, halbieren und das Kerngehäuse mit einem Löffel herauskratzen.

6.

Schadhafte Stellen an der Schale entfernen. Den Kürbis in achtel Stücke zerteilen. Mit einem Hobel oder Sparschäler in ganz feine Scheiben schneiden.

7.

Für die **Kürbis-Marinade** Öl, Essig, Honig, Sweet&Sour Sauce, Salz und Pfeffer zu einer Vinaigrette verrühren und über die Kürbisscheiben gießen. Mindestens eine halbe Stunde marinieren lassen..

8.

Den Reis aus der Marinade nehmen und in einer Schale anrichten. Die Datteln in Scheiben schneiden und zusammen mit den Zwiebeln in der Mitte anrichten.

9.

Nach einer halben Stunde die Kürbisscheiben in einem Schlangenmuster auf dem Reisbett anrichten.

10.

Creme: Schichtkäse mit Mango Chutney und Salz verrühren. Mit einem Löffel oder einer Spritztülle die Kürbisschlangen garnieren.

11.

Die Pinienkerne in einer trockenen Pfanne anrösten. Wahlweise eignen sich auch Kürbiskerne.

12.

Die Pinienkerne über die marinierten Kürbisschlangen streuen.

KARTOFFELSALAT

Leicht und fluffig

Hätte Tante Gotchen nicht überraschend die ganze große Familie zu Besuch erwartet, wäre dieses Rezept vielleicht nie erfunden worden. So raffte sie in ihrem Garten Gurken, Radieschen, Schnittlauch und Dill zusammen. Kartoffeln gab es im Keller und Eier im Stall. Mit Essig, Öl und einem Glas Saure Gurken zauberte sie diesen – mir unvergessenen – Kartoffelsalat, den ich schon oft wiederholt habe.

Zutaten: für 4 Portionen: 500 g kleine neue Kartoffeln | 1 kleine Gemüsegurke oder 1/2 Salatgurke | 2-3 EL Salz zum Entwässern | 1 Tas heißes Wasser | Schnittlauch oder Dill | Schwarzer Pfeffer | Salz | **Dressing**: 4 EL Olivenöl | 4 EL Apfelessig | 2 EL Gabriellas Salatsauce | 5 Saure Gurken | 1 EL milder Senf | 1 EL Zucker | 1 EL Meerrettich | Salz | Schwarzer Pfeffer **Dekor**: 4 Radieschen (Hartgekochte Eier, Saure Gurken) |

Zeit: Zubereitung: 30 Minuten | Entwässern: 30 Minuten | Ruhen: 1 bis 2 Stunden

ANLEITUNG

1.

Pellkartoffeln bissfest kochen. Welche Kartoffelsorte gewählt wird, ist Geschmackssache. Mehlige Kartoffeln nehmen die Salatsoße gut auf, zerfallen aber leicht. Festkochende Kartoffeln sehen im Salat besser aus, sind schnittfest.

2.

Eine kleine Gemüsegurke oder 1/2 Salatgurke waschen und mit Schale in sehr dünne Scheiben schneiden.

3.

Die Gurkenscheiben auf einem schräg liegendem Brett auslegen Mit Salz bestreuen zum Entwässern. Nach 30 Minuten das Wasser aus den Gurken pressen.

4.

Während die Gurkenscheiben entwässern, die Pellkartoffeln pellen und in Scheiben schneiden.

5.

Kartoffel- und Gurkenscheiben schichtweise in eine Salatschüssel legen.

6.

Die Dressingzutaten nach und nach in eine kleine Schüssel geben und kräftig verquirlen bis die Soße emulgiert.
Die Sauren Gurken in ganz kleine Würfel schneiden und zum Dressing geben.

7.

Die Dressingsoße über den Kartoffelsalat gießen. Sofort danach eine Tasse fast kochendes Wasser dazu gießen. Nun den Salat mit einem Salatbesteck sorgfältig wenden, bis alles gut vermischt ist.

8.

Der Kartoffelsalat sollte nun mindestens 1 bis 2 Stunden ruhen. Gut abgedeckt kann er auch am Vortag angemacht werden Dann ist die Soße richtig gut durchgezogen. Schnittlauch oder wahlweise Dill sehr fein schneiden.

9.

Radieschen waschen, Stängel und Wurzel entfernen, halbieren und in feine Scheiben schneiden.

10.

Vor dem Dekorieren den Salat noch einmal wenden und mit Salz und Pfeffer aus der Mühle abschmecken.

11.

Wahlweise kann der Salat auch mit hartgekochten Eiern und sauren Gürkchen dekoriert werden.

12.

Das passt dazu
Frikadellchen Seite 28
Wiener Schnitzel Seite135

GRATINIERTE MUSCHELN

Die fein gehackten Schalotten in Butter
anziehen. Die gut gewaschenen
Muscheln in eine breite Pfanne ge-
ben, zusammen mit den angebratenen
Schalotten und mit Weisswein ablöschen.
Zugedeckt dämpfen, bis sich die
Muscheln öffnen. Den oberen Teil
Muscheln öffnen. Den oberen Teil
Schale entfernen und die un-
ле auf einer Gratinplatte

2 Kg MUSCHELN
30 g SCHALOTTEN
180 g BUTTER
2 dl WEISSWEIN
2 EL PANIERHE
1 EL ESTRAG
PETERSILI
SALZ, P
MANDE
ZITR

...schlagene Butter, Panier-
...Salz, Pfeffer und
...nsaft mischen
...litter best
...ken.

FISCH & SCHALEN- TIERE

KABELJAU IM GRÜNEN

Ein Fisch voll im Trend

Freitags immer Fisch. So war das früher bei uns. Und meistens gab es Kabeljau, denn das war der günstigste unter den Speisefischen. Inzwischen sind die Bestände durch Überfischung gefährdet, deshalb zu atlantischem oder pazifischem Kabeljau greifen. In jungen Jahren heißt der Kabeljau auch Dorsch. Selbst wenn der Kabeljau heute nicht mehr so günstig ist, köstlich ist er immer noch.

Zutaten: für 4 Portionen: 600 g Kabeljaufilet | 9 Stangen grüner Spargel | 9 Lauchzwiebeln | 1 Chilischote | 1 Zwiebel | 1 Stück Ingwer | 2 EL Öl | 150 ml Gemüsebrühe | 400 ml Kokosnussmilch-Dose oder Sahne | 2 EL Limettensaft | Zimt | weißer Pfeffer | Meersalz | abgeriebene Limettenschale | Chili | Kurkuma | Tabasco | Koriander, Petersilie oder Dill |

Zeit: Fertig in rund 30 Minuten

ANLEITUNG

1.

Die Spargelstangen ab der Mitte schälen, das trockene Ende abschneiden. Spargel in ca. 5 cm lange Stücke schneiden. Den Spargel in Wasser 5 Minuten lang blanchieren.

2.

Die Lauchstangen putzen, Wurzeln und welke Teile entfernen. Lauch in ca. 5 cm lange Stücke schneiden.

3.

Eine rote Chilischote aufschlitzen. Das Kerngehäuse herauskratzen. Vorsicht – die Chilisamen sind sehr scharf. Die Chilischote in feine Streifen schneiden.

4.

Die Zwiebel schälen und in feine Würfel schneiden. Öl in einer Pfanne heiß werden lassen. Die Zwiebelscheiben darin anschwitzen. Eine Prise Salz zugeben.

5.

Die Chilischoten-Streifen zu den Zwiebeln geben und anbraten. Ein Stück Ingwer schälen, reiben und in die Pfanne geben.

6.

Spargel und Lauch in die Pfanne geben und kurz anbraten. Das Gemüse mit der heißen Brühe ablöschen, kurz aufwallen lassen. Dann das Gemüse aus der Pfanne nehmen und warm halten.

7.

Kabeljau in Stücke schneiden, dabei auf Gräten prüfen. Die Gräten findet man, wenn man mit dem Finger den Fisch abtastet. Mit einer Pinzette die Gräten entfernen. Kabeljau mit Limettensaft, Salz, Pfeffer und Zimt würzen.

8.

Wenn nötig, etwas Öl in die Pfanne geben und erhitzen. Kabeljau-Stücke kurz anbraten, wenden. Nach einer Minuten den Fisch aus der Pfanne nehmen und warm halten.

9.

Den Bratensatz in der Pfanne mit etwas heißer Brühe ablöschen, kurz aufwallen lassen. Dann die Sahne oder Kokosnussmilch zugeben. Mit einem Schneebesen schaumig aufschlagen und etwas einkochen lassen.

10.

Etwas Limettenschale abreiben und dann die Limette auspressen. Die Sauce mit Salz, Pfeffer und etwas Limettensaft abschmecken. Wer es scharf mag, mit Chili, Kurkuma, Tabasco nachwürzen.

11.

Den Kabeljau auf einer Platte anrichten, die Sauce darüber gießen.

12.

Das grüne Gemüse über dem Fisch verteilen. Ist das Gericht zu sehr abgekühlt, die Platte für 5 Minuten in den auf 150 Grad vorgeheizten Backofen schieben.
Vor dem Servieren mit frischen Kräutern und abgeriebener Limettenschale garnieren.

LACHS AN KRESSE-SOSSE

Raffiniert und geschmackvoll

Es ist lange her, seit ich Teddys Lachs-Rezept das letzte Mal genossen habe. Nun, da ich es für das Kochbuch wieder zubereitet und fotografiert habe, bin ich sehr beeindruckt, wie lecker der Lachs in der kräftigen Kresse-Soße schmeckt. Die Rezepte meiner Freundin überraschten immer durch ihre raffinierte Zusammensetzung und geschmackvolle Präsentation, ein Spiegel ihrer kreativen Persönlichkeit.

Zutaten: für 4 Portionen: 2 Lachsfilets a 80 g | 1,5 dl Gemüsebrühe | 50 g Kresse | 1 Bund Petersilie | 1 dl Doppelrahm | 2 EL Schnittlauch | 50 g Butter | Zitronenöl | weißer Pfeffer | Meersalz | **Garnitur** Salatblätter |

Zeit: Fertig in 30 Minuten

ANLEITUNG

1.

Die Rezept-Zutaten abmessen und bereitstellen.

2.

Die Kresse schneiden. Petersilie von den Stängeln zupfen. Beides blanchieren: Kresse und Petersilie mit kochendem Wasser überbrühen, mit kaltem Wasser abschrecken, dann gut abtropfen lassen.

3.

Einen Löffel von dem Rahm an die Kresse-Petersilie geben und mit dem Pürierstab fein pürieren.

4.

Die Gemüsebrühe leicht würzen und zum Köcheln bringen. Lachs in der Brühe knapp gar pochieren.

5.

Lachs aus der Pfanne nehmen, in eine Form legen. Schnittlauch fein hacken. Den Lachs damit bestreuen. Im Backofen warm halten.

6.

Die heiße Brühe aufwallen lassen. Dann den restlichen Rahm zugeben. Mit einem Schneebesen schaumig aufschlagen und etwas einkochen lassen.

7.

Das Kressepüree zur Sahnesoße geben, mit Butter aufschwingen und mit Zitronenöl, Salz und Pfeffer würzen.

8.

Die Sauce auf vorgewärmte Teller verteilen, den Lachs darauf legen und mit den Salatblättern dekorieren.

DAS PASST DAZU

Kartoffeln

Ofen-Kartoffeln Seite 72
Bratkartoffeln Seite 74
Lila Kartoffeln Seite 75
Süß-Brat-Kartoffeln Seite 76
Süß-Kartoffel-Stampf Seite 77

Salate

Kopfsalat, der Klassiker Seite 12
Wildkräuter-Salat Seite 13
Feldsalat in 3 Varianten Seite 14
Kartoffelsalat Seite 106

FISCHFILET MIT TRAUBEN

Ein rundes Geschmackserlebnis

Überaus köstlich ist dieses Gericht mit den hochpreisigen Seezungenfilets, einem der begehrtesten und teuersten Speisefischen. So das Originalrezept von meiner Freundin Teddy. Aber auch mit dem milden Seelachs schmeckt dies Gericht ganz vorzüglich, da die Gesamtkomposition mit Fisch, Spinat, Trauben und den säuerlichen Granatapfelkernen ein rundes Geschmackserlebnis bietet.

Zutaten: für 2 Portionen: 300 g Seezungenfilet oder Seelachsfilet | 100 g Butter oder Ghee | 1 Zitrone | Meersalz | Cayennepfeffer | 2 dl Weißwein | 100 g rote kernlose Weintrauben | 2 EL Sahne | **Beilage** 200 g Babyspinat | 1 Zwiebel | **Garnitur** 2 EL Granatapfelkerne |

Zeit: Fertig in 35 Minuten

ANLEITUNG

1.

Die Rezept-Zutaten abmessen und bereitstellen. Wenn die Fischfilets gefroren sind, auftauen und trocken tupfen.

2.

Die Fischfilets mit Zitronensaft beträufeln und mit Salz und Cayennepfeffer bestreuen.

3.

Butter oder Ghee (spritzt nicht) in einer Pfanne erhitzen, die Fischfilets in Stücke schneiden und von beiden Seiten anbraten. Die Filets aus der Pfanne nehmen und warm halten.

4.

Die roten kernlosen Weintrauben mit einem scharfen Messer halbieren.

5.

Den Bratensatz mit dem Weißwein löschen, etwas einköcheln lassen, dann die halbierten Trauben zugeben und kurz aufkochen. Die Sahne zugeben und etwas einköcheln lassen.

6.

Den Babyspinat waschen und trockenschleudern.

7.

Die Zwiebel schälen und in feine Ringe schneiden. Öl in einem Topf heiß werden lassen. Die Zwiebelringe darin anschwitzen. Eine Prise Salz zugeben.

8.

Den Spinat zu den angebratenen Zwiebelringen geben, anbraten und mehrfach wenden. Der Spinat fällt in der Hitze sofort zusammen und ist in 2 Minuten gar. Die Spinat-Zwiebelmischung auf einer Platte anrichten.

9.

Die Fischfilets auf dem Spinat anrichten. Die Traubensoße über dem Fisch verteilen.

10.

Etwas Zitronenschale abreiben und auf den Fischfilets verteilen.

11.

Granatapfel köpfen, die Viertel aufschneiden, die Kerne herauskratzen. Vorsicht – der Saft spritzt. Die weißen Häutchen und den weißen Mittelteil entfernen.

12.

Das Fischgericht mit den Granatapfelkernen garnieren. Dazu passen Bratkartoffeln.

FISCHSUPPE

Schmeckt grandios

Ulrikes Fischsuppe an ihren Geburtstagsfeiern war legendär, jedes Jahr ein wenig anders, aber immer bestechend lecker, wie alle Gäste bestätigten. Das Rezept hat Ulrike nie verraten. Die Handvoll Kirschtomaten und letztlich ein Schuss Noilly Prat, die sie zum Schluss in die gebundene Suppe streute, ist mir unvergesslich im Gedächtnis geblieben. Mit dem Rezept versuche ich in fröhlichem Erinnern dem Original nahe zu kommen.

Zutaten: für 12 Portionen: 1 Lauch | 250 g Kartoffeln | 2 EL Olivenöl | 2 dl Weißwein | 1 l Gemüsebrühe | 200 g Lachsfilets | 200 g Kabeljaufilets | 200 g Steinbeißerfilet | 200 g Rotbarschfilet | 200 g Krabben | 10 ganze Garnelen | 6 Kirschtomaten | Meersalz | Tabasco | 1 dl Sahne | Dill | 2 EL Noilly Prat |

Zeit: Fertig in 50 Minuten

1.

Die Kartoffeln schälen, in kleine Stücke schneiden und in Brühe mit etwas Salz 10 Minuten kochen. Den Lauch in feine Ringe schneiden, zu den Kartoffeln geben und weitere 5 bis 10 Minuten köcheln. Mit Weißwein abschmecken und pürieren.

2.

Die Fische in 3 cm große Würfel schneiden. Die Fischstücke in Olivenöl leicht dünsten. Mit Weißwein ablöschen, Gemüsebrühe zufügen.

3.

Dann das pürierte Kartoffel-Lauchgemüse in die Fischsuppe geben. Kurz vor dem Servieren die Garnelen und die halbierten Kirschtomaten (wahlweise geschälte Tomatenfilets) dazu geben.

4.

Die Suppe mit Sahne, Meersalz und Tabasco abschmecken, letztlich kommt noch ein Schuss Noilly Prat dazu. Die Fischsuppe in tiefen Tellern anrichten und mit Dill garnieren. Dazu Weißbrot oder Baguette servieren.

SHRIMPS AN BROKKOLI ODER IN SAHNE

Sommer-Feeling

Wenn ich Lust auf Sommer-Feeling habe, sind diese Gerichte genau richtig. Je nach Herkunftsland heißen Garnelen auch Shrimps, Prawns (Englisch), Cameron (Spanisch) oder Crevettes (Französisch). Scampi dagegen gehört zur Familie der Hummer. „Krabben" bezeichnet meist die Nordsee-Krabben, das sind aber auch Garnelen.

Zutaten: für 2 Portionen: 250 g Shrimps | Öl | Meersalz | weißer Pfeffer | Zitrone | **Variante 1:** 500 g Brokkoli | 2 dl Gemüsebrühe | 2 EL Walnusskerne | **Variante 2:** 2 EL Sahne, Crème fraîche oder Kokosmilch |

Zeit: Fertig in 15 Minuten

1.

2.

Gefrorene Shrimps aus der Packung nehmen. Shrimps in einem Sieb kurz unter fließend kaltem Wasser abspülen. Danach trocken tupfen.

Shrimps knapp eine Minute in heißem Olivenöl wenden. Dann die Hitze reduzieren. Mit Zitronensaft, Salz und weißem Pfeffer würzen.

3.

4.

Variante 1 | Brokkoli in Röschen zerteilen. Eine kleingeschnittene Zwiebel in Öl und Salz in einem Topf anschwitzen. Den Brokkoli und die Brühe zugeben. Bei geschlossenem Deckel 4 Minuten dämpfen. Zusammen mit Shrimps und gerösteten Walnusskernen servieren.

Variante 2 | Shrimps in Sahne
Je nach Vorliebe Sahne, Crème fraîche oder Kokosmilch zu den gedünsteten Shrimps geben. Mit Meersalz und weißem Pfeffer abschmecken.
Passt zu Kürbissuppe Seite 42, Roten Linsen Seite 95.

GARNELEN-SPAGHETTI

Sommer-Feeling

Immer wenn ich meine Freundin Anita in der Schweiz besuche, überrascht und verwöhnt sie mich mit einem tollen Gericht. Sie ist eine begnadete Köchin, die locker mit ihren kulinarischen Wurzeln aus dem Tessin, der französischen Westschweiz und ihrem traumhaft schönen Wohnort in Graubünden spielt. Plaudernd, einen guten Wein aus der Bündner Herrschaft kredenzend (davon versteht sie auch sehr viel), kocht sie ganz nebenbei Köstliches. So hat sie mich auch zu diesem Gericht inspiriert.

Zutaten: für 2 Portionen: 250 g Spaghetti | 6 Stangen weißer Spargel | 75 g Butter | 250 g Garnelen | 2 EL Olivenöl | Meersalz | weißer Pfeffer | 1 Zitrone | Kresse oder Petersilie |

Zeit: Fertig in rund 30 Minuten

ANLEITUNG

1.

2.

Spargel schälen, in 6 cm lange Stücke schneiden. Butter in einer Pfanne schmelzen, Spargel darin ca. 15 Minuten braten.

Etwas Salz zugeben. Mehrfach wenden, sodass die Spargel-Stangen von allen Seiten angebraten werden. Spargel mit Sud aus der Pfanne nehmen und in einer Schüssel warm halten.

3.

4.

Ein Liter Wasser für die Spaghetti aufsetzen. Wenn das Wasser kocht, 1 EL Salz zugeben. Spaghetti in das kochende Salzwasser geben, umrühren bis alle Spaghetti im Wasser schwimmen. Hitze reduzieren, Timer auf 8 Minuten stellen.

Nach ca. 8 Minuten Kochzeit (Zeitangabe siehe Spaghetti-Packung) die Spaghetti prüfen, ob sie al dente sind.

5.

6.

Spaghetti in ein Sieb abschütten und gut abtropfen lassen.

Die abgetropften Spaghetti zu den Spargeln mit Sud in die vorgewärmte Schüssel geben und gut mischen.

7.

8.

Olivenöl in einer Pfanne erhitzen und die Garnelen schnell von jeder Seite ca. eine Minute lang braten.

Die Garnelen mit Meersalz, weißem Pfeffer und etwas Zitronensaft würzen.

9.

10.

Die Garnelen auf den Spaghetti-Spargel verteilen.

Den restlichen Olivenöl-Zitronen-Bratsud über den Garnelen in der Schüssel verteilen.

11.

12.

Die Garnelen-Spaghetti mit Kresse oder frischen Kräutern garnieren.

Die Spaghetti auf vorgewärmten tiefen Tellern verteilen.

MARINIERTE FLUSSKREBSE AUF KÜRBISPÜREE

Erfrischende Überraschung für Gäste

Die Kombination Kürbis mit Flusskrebsen ist eine Variation, die ich ausprobiert habe. Herausgekommen ist eine raffinierte Vorspeise, die bei meinen Gästen viele Ahhs und Ohhs ausgelöst hat. Erstaunt hatte zum einen, wie unterschiedlich die Kürbiscreme im Kontrast zu den rohen, marinierten Kürbisscheiben schmeckt und zum anderen die pikante Kombination von Flusskrebsen und Datteln.

Zutaten: für 6 Portionen: **Püree:** 200 g Hokkaidokürbis | 2 Zwiebeln | 1 Ingwerstück | **Marinade:** 2 EL Olivenöl | 2 EL Balsamicoessig | Honig | 1 Zitrone | Sweet&Sour Sauce | Salz | Pfeffer | 1 Schalotte | 1 Bio-Zitrone (Schale + Saft) | Mango Chutney mit Knoblauch | **Garnitur** 50 g Datteln | Zitronenschale |

Zeit: Zubereitung: 40 Minuten | Marinieren: 30 Minuten

ANLEITUNG

1.

Den Kürbis waschen, trocknen, halbieren und das Kerngehäuse mit einem Löffel herauskratzen.

2.

Schadhafte Stellen an der Schale entfernen. Den Kürbis in Achtel Stücke zerteilen.
Mit einem Hobel oder Sparschäler vom Kürbis 12 ganz feine Scheiben schneiden. Für die Marinade beiseite stellen.

3.

Den restlichen Kürbis in große Stücke zerteilen. Die Zwiebeln und den Ingwer schälen und ebenfalls in große Stücke zerteilen. Alles in Wasser 10 Minuten kochen.

4.

Den Ingwer „herausfischen". Mit dem Pürierstab aus dem Kürbis eine feine Creme mixen.
Mit Salz, Pfeffer und Zitronensaft abschmecken.

5.

Für die Marinade Öl, Essig, Honig, Sweet&Sour Sauce, Salz und Pfeffer zu einer Vinaigrette verrühren.

6.

Die Schale der Bio-Zitrone abreiben und den Saft der Zitrone auspressen. Von beidem etwas zu der Vinaigrette und dem Püree geben.

7.

Die 12 Kürbisscheiben und die Flusskrebse in die Vinaigrette geben. Mindestens eine halbe Stunde marinieren lassen. Danach Kürbisscheiben und Krebse in einem Sieb abtropfen lassen.

8.

Die Datteln in Scheiben oder kleine Würfel schneiden.

9.

Gläser zum Servieren bereitstellen. In jedem Glas ein paar Dattelwürfel auf den Boden legen.

10.

Das abgeschmeckte Kürbispüree als nächste Schicht in die Gläser füllen.

11.

Nun die Flusskrebse auf dem Püree anrichten. Das Püree darf nicht zu flüssig sein, da die Krebse sonst „untergehen".

12.

In jedes Glas zwei marinierte Kürbisscheiben dekorativ an den Rand legen. Etwas abgeriebene Zitronenschale über den Krebsen verteilen.

OSSO BUCO

für 6 bis 8 Personen

Die Butter bei mässiger Hitze in einem schweren Bratentopf zerlassen, die ge-hackten Zwiebeln, Rübli, Stangensellerie und Knoblauch hinzu-fügen und 15 Minuten schmoren.

Die Kalbshachsen salzen und pfeffern, in Mehl wenden und im heissen Öl in einer Pfanne anbraten. Die gebräunten Stücke nebeneinander auf das Gemüse im Braten topf stellen.

alles fett aus

8 KALBSHACHSEN	
4 EL BUTTER	
1½ TA ZWIEBELN	
1/2 TA RÜBLI	
1/2 TA STANG	

FLEISCH
&
GEFLÜGEL

RIND-GEMÜSE-FRIKADELLE

Ohne Brot oder Paniermehl – leicht und locker

Low carb: Wenn das Gericht ohne Kohlehydrate sein soll, ist dieses Rezept genau richtig. Darüber hinaus sind die Frikadellen ohne Brötchen oder Paniermehl besonders leicht und locker. Ganz gleich, ob für das nächste Picknick im Grünen, die Garten-Party oder Sommer auf dem Balkon – die leichten Frikadellen passen gut in die warme Jahreszeit, schmecken aber immer.

Zutaten: für 12 bis 15 Frikadellen: 800 g Rindergehacktes | 1 Tas Zwiebeln | 1 Tas Möhren | 1/2 Tas Sellerie | 2 Eier | 80 g Quark oder Crème fraîche | 2 EL Mehl | Senf | Meerrettich | Ketchup | Muskat | Zimt | Meersalz | Schwarzer Pfeffer | 2 EL Rapsöl |

Zeit: Vorbereitung: 30 Minuten | Braten: 10 Minuten

Beilagen: Tomaten-Dip S. 26 | Paprika-Dip S. 27 | Ingwer-Chutney | Feigen-Senf | grüner Salat S. 12

ANLEITUNG

1.

Die Möhren und das Stück Sellerie schälen. Zwiebel häuten. Möhren, Sellerie und Zwiebeln sehr fein mit einem scharfen Messer schneiden und zum Abmessen in Tassen füllen, bis die gewünschte Menge erreicht ist.

2.

Alternativ lassen sich Möhren und Sellerie auch gut mit einer Reibe in kleine Streifen raffeln. Zum Schluss mit einem Wiege-messer das Gemüse noch feiner hacken. Feingehackte Zwiebeln, Möhren und Sellerie zusammen in eine große Schüssel geben.

3.

Rohes Rinderhack zum Gemüse geben und die Masse gut mischen.

Als Variante kann auch noch sehr fein gehackte Petersilie untergemischt werden.

4.

2 Eier zufügen und die Masse gut mischen. Anschließend 80 g Quark oder Crème fraîche untermischen. Quark oder Crème fraîche machen die Frikadellen sehr locker und leicht.

5.

Nun wird die Fleisch-Gemüse-Mischung gewürzt: Jeweils 2 EL Senf, Meerrettich und Ketchup in die Hackmasse geben. Mit einer Prise Muskat und Zimt, 1 EL Meersalz und Schwarzem Pfeffer aus der Mühle die Hackmasse abschmecken.

6.

Nachdem die Hackmasse gut durchgeknetet ist 12 bis 15 gleichgroße Bällchen - Frikadellen formen.

Auf einem Brett anordnen.

7.

Die geformten Frikadellen auf einem Brett so auslegen, dass sie sich nicht berühren und von allen Seiten mit Mehl bestäubt werden können. Die feine Mehlschicht verhindert, dass die Frikadellen beim Anbraten auseinander fallen.

8.

Mit Hilfe eines Siebs eine feine Mehlschicht über die Frikadellen streuen. Frikadellen wenden, um die andere Seite mit Mehl zu bestäuben. Das Sieb ermöglicht eine ganz feine Mehlschicht.

9.

Rapsöl in einer Pfanne sehr stark erhitzen. Das Öl sollte zischen und brutzeln, wenn die Frikadellen in die Pfanne gelegt werden. Etwas Abstand lassen, damit Platz zum Wenden bleibt. Die Hitze reduzieren, Deckel drauf.

10.

Nach 5 Minuten die Hitze wieder erhöhen und die Frikadellen vorsichtig wenden. Wenn die andere Seite der Frikadellen angebraten ist, die Hitze wieder reduzieren. Nach 5 Minuten sind die Frikadellen gar.

11.

Zum Abtropfen von überschüssigem Fett die Frikadellen auf einen Rost legen.

Mit dem Braten von weiteren Frikadellen fortfahren.

12.

Frikadellen servieren mit einer Garnitur aus einem Dip, Oliven und getrockneten Tomaten in Öl. Dip-Rezepte auf Seiten 26 + 27.

Frikadellen lassen sich auch gut einfrieren.

RINDER-GOULASCH

Der Klassiker

Goulasch ist ein Klassiker. Mit gutem Fleisch, ausgewogenen Zutaten und der perfekten Garzeit ist dieses Rezept genau richtig für die schnelle und gesunde Küche. Darüber hinaus ist die Mischung aus Schärfe und milder Süße sehr pikant. Verbreitet sich so langsam der leckere Bratenduft, bekomme ich richtig gute Laune. Wenn die Gäste dann feststellen, hier riecht es so gut, bin ich glücklich.

Zutaten: für 4 Portionen: 1 kg Rinder-Goulasch | 2 EL Rapsöl | 5 Zwiebeln | 3 Möhren | 1 Bund Lauchzwiebeln | 1 EL brauner Zucker | 1/8 l Brühe oder Wasser | edelsüßer Paprika | 6 Lorbeerblätter | Ingwer | 1 Chilischote | 250 g kleine Tomaten | 250 g kleine Kartoffeln | Meersalz | Ketchup | 50 g Quark oder Crème fraîche | Petersilie |

Zeit: Vorbereitung: 20 Minuten | Schmoren: 60 Minuten

Beilagen: frischer grüner Salat

ANLEITUNG

1.

2.

Zuerst alle Zutaten bereitstellen: das Fleisch, das Gemüse und die Gewürze.

Das gewürfelte Rindfleisch kalt waschen, gut mit einen Stofftuch trocknen - Papiertücher bleiben leicht am Fleisch kleben.

3.

4.

Zum Anbraten eignet sich ein hoher gusseiserner Bräter sehr gut. Bratfett sehr heiß werden lassen und das trockene Fleisch scharf anbraten. Häufig wenden bis alle Seiten der Fleischwürfel angebraten und die Poren geschlossen sind.

Während das Fleisch anbrät die Zwiebel schälen und halbieren oder vierteln.
Die Zwiebeln zum Fleisch geben und ebenfalls scharf anbraten. Mehrfach wenden. Dann die Hitze reduzieren und bei geschlossenem Deckel schmoren.

5.

6.

Während das Fleisch schmort die Möhren schälen und in große Stücke schneiden. Lauchzwiebeln putzen und ebenfalls in Stücke schneiden.

Den braunen Zucker über das Fleisch streuen und zusammen mit den Möhren und Lauchzwiebeln bei häufigem Wenden karamellisieren. Die Lorbeerblätter zugeben.

7.

8.

Eine Chilischote halbieren und von den Kernen befreien. Ein Stück Ingwer schälen und halbieren. Tomaten von der Rispe und dem Strunk lösen.

Chilischote, Ingwer und die Tomaten zum Fleisch geben. Alles gut wenden.

9.

10.

Bei Bedarf Brühe oder Wasser zugeben, die Fleisch-Gemüsemischung sollte zu einem Drittel in Flüssigkeit sein. Den Topfinhalt mit einer Schicht edelsüßem Paprika bestreuen.

Die Hitze reduzieren. Topf mit Deckel verschließen und das Goulasch für eine Stunde schmoren lassen.

11.

12.

Kleine Kartoffeln schälen und halbieren oder vierteln. Nach einer halben Stunde Garzeit zum Goulasch geben, wenden, mit Deckel verschließen und für weitere 30 Minuten schmoren. Evtl. etwas Brühe oder Wasser zufügen.

Nach einer Stunde das Goulasch mit Salz und etwas Ketchup abschmecken. Ketchup gibt einen schönen Glanz an der Soße, bindet sie und mildert die Schärfe. Goulasch mit Petersilie und Quark oder Crème fraîche garnieren.

RINDER-SCHMORBRATEN

Für gesellige Tafelfreuden

Wenn der würzige Bratenduft – gemischt mit Zwiebeln und Lorbeer – sich entfaltet, erinnert er mich an meine Kinderzeit. Das Rezept stammt aus dem Kochbuch meiner badischen Großmutter Pauline. Mein Vater erzählte, dass es den Schmorbraten immer gab, wenn die drei Brüder sich sonntags bei den Eltern trafen. Dann wurde erzählt, getrunken und gegessen. Pauline war glücklich und stolz wenn es allen schmeckte. Diese Tradition hat mein Vater dann in unserer Familie fortgesetzt und der Sonntagsbraten ist für mich zum Synonym für gesellige Tafelfreuden geworden.

Zutaten: für 4 Portionen: 1 kg Rinder-Braten | 1 EL Mehl | 50 g Butterschmalz | 500 g Zwiebeln | 10 Lorbeerblätter | 1/8 l heiße Brühe oder Wasser | 3 Pastinaken oder Petersilienwurzel | 1 Stück Sellerie | 1 EL Zucker | 2 EL Senf | Salz | Pfeffer |

Zeit: Vorbereitung: 20 Minuten | Schmoren: 90 Minuten

ANLEITUNG

1.

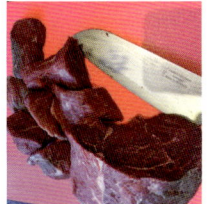

2.

Zuerst alle Zutaten bereitstellen: das Fleisch, das Gemüse und die Gewürze.

Das Rindfleisch kalt waschen, gut mit einen Stofftuch trocknen. Im klassischen Rezept wird der Schmorbraten am Stück geschmort. Man kann das Fleisch aber auch in kleinere Teile zerlegen. Das Fleisch mit dem Mehl bestäuben.

3.

4.

Zum Anbraten eignet sich ein hoher gusseiserner Bräter. Butterschmalz sehr heiß werden lassen und das Fleisch scharf anbraten. Wenden bis alle Seiten der Fleischstücke angebraten und die Poren geschlossen sind.

Das Pfund Zwiebeln schälen und in große Scheiben schneiden.

5.

6.

Die Zwiebeln zum Fleisch geben und ebenfalls scharf anbraten. Mehrfach wenden. Eine Prise Salz, die Lorbeerblätter und etwas heiße Brühe zugeben. Dann die Hitze reduzieren und bei geschlossenem Deckel eine Stunde schmoren.

Während das Fleisch schmort die Möhren schälen und in große Stücke schneiden. Sellerie und Pastinaken schälen, putzen und ebenfalls in Stücke schneiden. Gelegentlich nachschauen, ob noch genügend Flüssigkeit da ist. Bei Bedarf heiße Brühe zugeben.

7.

8.

Nach einer Stunde Schmorzeit das Gemüse zum Fleisch geben. Wenden, evtl. etwas heiße Brühe nachfüllen. Für weitere 30 Minuten bei geschlossenem Deckel schmoren.

Die Soße mit dem Senf, Zucker, Salz und Pfeffer abschmecken. Die Lorbeerblätter entfernen. Wurde der Schmorbraten am Stück gegart, das Fleisch herausnehmen und in Scheiben schneiden. Das Fleisch auf einer Platte anrichten, das Gemüse drumherum legen.

DAS PASST DAZU

Kartoffeln

Salate

RIND AUF KÜRBISBETT IM SCHLAFROCK

Festtags geeignet

Gerichte im Blätterteig lassen sich gut vorbereiten. Das Fleisch auf dem Kürbisbett bleibt herrlich saftig und ist in Kombination mit den getrocknete Aprikosen und frischen Kräutern sehr aromatisch. Es ist ein richtiges Festtagsmenü, das sich mit geringem Aufwand und verschiedenen Dips und Salaten beliebig erweitern lässt.

Zutaten: für 4-6 Portionen: 400 g Rinder-Hack | 200 g Kürbis | 1 Zwiebel | 3 Eier | 8 Salbeiblätter | 6-8 getrocknete Aprikosen | Petersilie | 80 g Paniermehl | Pfeffer | Salz | 1 Pk. Blätterteig |

Zeit: Vorbereitung: 30 Minuten | Backen: 20 Minuten

Beilagen: Dips Mango-Chutney | Ingwer-Chutney | Feigen-Senf | frischer grüner Salat

ANLEITUNG

1.

Alle Zutaten bereitstellen. Den Blätterteig mindestens eine Stunde vorher aus dem Kühlschrank nehmen, damit er beim Ausrollen nicht bricht. Das Backblech bereitstellen. Den Backofen auf 200 Grad vorheizen.

2.

Von einem Hokkaido-Kürbis ein Drittel abschneiden. Die Kerngehäuse und schadhafte Stellen entfernen. Kürbisstück zuerst in Scheiben schneiden, dann weiter in kleine Schnitze zerteilen.

3.

Blätterteig auf einem Backblech mit dem Backpapier entrollen und in der Mitte teilen. Die Kürbisschnitze jeweils mittig auf den beiden Teighälften verteilen. Ringsum einen breiten Rand freilassen.

4.

Die getrockneten Aprikosen in kleine Stücke schneiden. Eine Zwiebel schälen und sehr fein hacken.

5.

Die Salbeiblätter in Streifen schneiden. Die Petersilie waschen, trocknen, Blättchen von den Stängeln abschneiden und hacken.

6.

Das Hackfleisch ein eine große Schüssel geben. Zwiebeln, Aprikosen, Salbei und Petersilie untermischen. Mit Salz und Pfeffer kräftig würzen.

7.

Die drei Eier in einer kleinen Schüssel mit etwas Wasser und einer Prise Salz verquirlen.

8.

Etwa zweidrittel der Eier und das Paniermehl zum Hackfleisch geben. Die Masse gut durchkneten.

9.

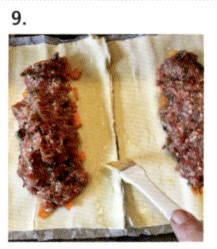

Das Hackfleisch auf den beiden Kürbisbetten verteilen. Mit einem Backpinsel die freien Teigflächen mit Ei bestreichen.

10.

Den Teig jeweils über die Füllung klappen. Ränder gut zudrücken. Die Rollen mit Muster verzieren. Dann mit dem restlichen Ei bepinseln.

11.

Das Backblech mit den Teigrollen in den heißen Backofen schieben. Ca. 20 Minuten bei 180 Grad goldgelb bei Umluft backen. Evtl. Hitze auf 150 Grad reduzieren

12.

Rollen in Stücke schneiden. Heiß mit verschiedenen Dips wie Mango-Chutney, Ingwer-Chutney oder Feigen-Senf servieren. Dazu passt grüner Salat Seite 12 oder gemischter Salat Seite 13.

RINDER-FILET

Butterzart und saftig

Wie gut das Filet ist hängt von der Fleischqualität ab, Bio ist sicher zu bevorzugen. Aber auch die Verarbeitung des Metzgers ist entscheidend: Gut abgehangen ist das Filet butterzart. Ich kaufe Fleisch möglichst nur bei einem Metzger meines Vertrauens.

Zutaten: für 2 Portionen: 300 g Rinder-Filet | Meersalz | Pfeffer | Raps- oder Sonnenblumenöl |

Zeit: Fertig in 10 Minuten

1.

Filet waschen und gut trocken tupfen. Evtl. von Haut und Fett befreien. Mit Meersalz und schwarzem Pfeffer aus der Mühle einreiben.

2.

Rapsöl, oder Sonnenblumenöl, in einer Pfanne erhitzen.
(Olivenöl eignet sich nicht zum anbraten).
Das Filet scharf - bei großer Hitze - auf einer Seite anbraten.
Es ist wichtig, dass sich die Poren sofort schließen.

3.

Nach einer knappen Minute wenden.
Nach einem kurzen Moment (bis die Poren geschlossen sind) die Hitze etwas reduzieren. Nach einer Minute ist das Steak fertig.

4.

Das Filet drei Minuten ruhen lassen, dann auf einem vorgewärmten Teller servieren.

Dazu passen Dip-Soßen Seite 26 und Ofenkartoffeln Seite 72.

RUMPSTEAK MIT CHAMPIGNONS

Low carb

Immer wenn ich auf die Kalorien achte, weil ich etwas abnehmen möchte, ist dies genau das richtige Rezept. Es ist schnell gemacht, hat fast keine Kalorien und ist mit den Champignons eine vollständige Mahlzeit.

Zutaten: für 2 Portionen: 2 Rumpsteak | Meersalz | Pfeffer | Raps- oder Sonnenblumenöl | 100 g Champignons | 2 Lauchzwiebeln | Crema Balsamico | Zitronensaft |

Zeit: Fertig in 18 Minuten

1.

Das Steak waschen und trocken tupfen. Von Fettrand und Sehnen befreien. Fleisch etwas klopfen. Mit Meersalz und schwarzem Pfeffer einreiben. Das Steak in einer heißen Pfanne auf jeder Seite 2 Minuten braten. Den Fettrand mitbraten.

2.

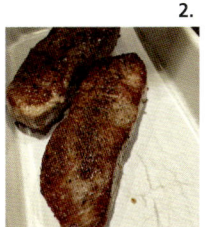

Das Steak aus der Pfanne nehmen und kurz ruhen lassen.

Die Champignons und Lauchzwiebeln in Scheiben schneiden.

3.

Im Bratenfond die Champignons und Lauchzwiebeln kurz schwenken. Den Fettrand nun entfernen. Die Pilze mit Salz, Pfeffer und ein paar Tropfen Zitronensaft und Balsamico abschmecken, dann auf den Rumpsteaks verteilen.

4.

Zum Rumpsteak passt Salat, einfach eine Scheibe Brot oder der Spargel-Risotto Seite 102.

SCHNITZEL MIT SENFKRUSTE

Rustikal

Mein Redaktionskollege Martin brachte mir seinerzeit die Grundbegriffe am Apple bei. Nach getaner Arbeit überraschte er mich mit seinen Kochkünsten und servierte saftige Schnitzel mit einer dicken Senfkruste.

Zutaten: für 2 Portionen: 2 Rinder-Schnitzel | Meersalz | Pfeffer | Olivenöl | 1 EL Mehl | 4 EL körnigen Senf |

Zeit: Fertig in 10 Minuten

1.

Schnitzel waschen und gut trocken tupfen. Beide Seiten mit Meersalz und schwarzem Pfeffer aus der Mühle einreiben. Mit Mehl bestäuben

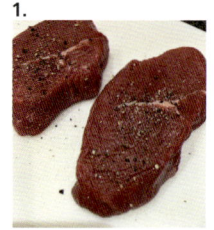

2.

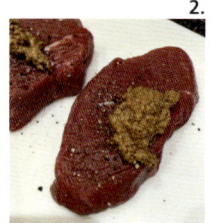

Eine Seite des Schnitzels dick mit dem körnigen Senf bestreichen.

3.

In einer Pfanne das Öl nicht zu heiß werden lassen. Die Schnitzel mit der Senfseite sanft anbraten. Nun die andere Seite mit Mehl bestäuben und dick mit Senf bestreichen. Nach einer Minute wenden.

4.

Nach einer weiteren Minute ist das Schnitzel fertig. Vorsicht mit der Temperatur: Die Senfkruste darf nicht anbrennen. Die Schnitzel auf einem vorgewärmten Teller servieren. Dazu passen Ofenkartoffeln Seite 72 oder der Süßkartoffelstampf Seite 77.

WIENER SCHNITZEL

Feine Küche

Niemand konnte das Wiener Schnitzel so köstlich, so luftig, so lecker, zubereiten wie meine Mutter. Vielleicht lag es am Schwung, mit der sie die Pfanne beim Braten hin und her bewegte, dass die Panade besonders locker auflag und das Fleisch außerordentlich zart wurde.

Zutaten: für 2 Portionen: 2 Kalbsschnitzel aus der Nuss | 2 EL Mehl | 1 Ei | 50 g Paniermehl | Salz | Weißer Pfeffer | 20 g Butter | 1 Zitrone |

Zeit: Fertig in 18 Minuten

1.

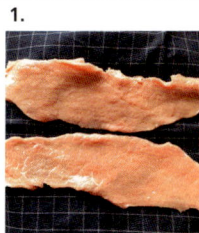

Die Schnitzel werden sehr dünn quer zur Faser aus der Kalbsnuss geschnitten. Die Kalbsschnitzel sanft klopfen, mit der Messerspitze überall etwas einschneiden. Mit Salz und Weißem Pfeffer einreiben.

2.

Einen Panierweg einrichten: je einen Teller mit Mehl, einen mit einem verkleppertem Ei und einen mit Paniermehl.

3.

Die Schnitzel nacheinander auf beiden Seiten erst im Mehl wenden, dann im Ei und zum Schluss im Paniermehl. In einer großen Pfanne Butter oder Öl erhitzen.

4.

Die Schnitzel in heißer Butter auf jeder Seite 4 Minuten goldbraun braten, Pfanne schwenken, Deckel auflegen. Beim Wenden nicht ins Fleisch stechen. Mit Zitronenscheiben servieren. Passt gut zu Spargel-Risotto S. 102, Kartoffelsalat S. 106, Bratkartoffeln S. 74.

OSSO BUCO

Genussvoll kochen für Gäste

Wenn Aldo den Gästen sein Osso Buco servierte, gab es immer großen Beifall. Der Bratenduft gemischt mit der frischen Note der Gremolata - Zitronenschale, feingehackter Knoblauch, Petersilie - lässt den Gästen das Wasser im Mund zusammen laufen. Das Gericht lässt sich gut vorbereiten.

Zutaten: für 4 Portionen: 4 gleichgroße Beinscheiben vom Kalb | 2 EL Rapsöl | 3 Zwiebeln | 3 Möhren | 1 Stück Sellerie oder Stangensellerie | 3 Zweige Rosmarin | 3 Knoblauchzehen | 3 Lorbeerblätter | 1 Chilischote | 2 dl heiße Brühe | 2 dl Weißwein | 250 g Dosen-Tomaten | 2 EL Mehl | Meersalz | Schwarzer Pfeffer | Petersilie | **Gremolata:** Zitronenschale von einer Bio-Zitrone | 1 Knoblauchzehe | glattblättrige Petersilie |

Zeit: Vorbereitung: 30 Minuten | Schmoren: 90 Minuten

Beilagen: frischer grüner Salat und Pasta

ANLEITUNG

1.

2.

Zuerst alle Zutaten bereitstellen: das Fleisch, das Gemüse, den Wein, die Kräuter und die Gewürze. Den Backofen auf 150 Grad vorheizen.

Kauft man das Kalbfleisch ein bis zwei Tage vor dem Braten kann man es in Olivenöl marinieren. Chilischote, Salz, Pfeffer, Knoblauchzehen, Lorbeerblätter und Rosmarin dazugeben. Die Garzeit ist dann 15 Minuten kürzer, als wenn es direkt gebraten wird.

3.

4.

Möhren und Sellerie schälen, putzen und in große Stücke schneiden. Zwiebeln schälen und in Viertel zerteilen.

Die Zwiebeln in einem hohen gusseiserner Bräter in Öl scharf anbraten. Mehrfach wenden. Dann das restliche Gemüse und die Knoblauchzehen zugeben, die Hitze reduzieren und bei geschlossenem Deckel 15 Minuten schmoren.

5.

6.

In einer zweiten Pfanne das Fleisch portionsweise scharf anbraten. Wenden bis alle Seiten der Fleischscheiben angebraten und die Poren geschlossen sind. Das Fleisch herausnehmen und die nächsten Beinscheiben anbraten.

Die angebratenen Beinscheiben auf dem Gemüse schräg schichten. Mit Salz und Pfeffer würzen und dem Mehl bestäuben. Lorbeerblätter und Rosmarin zugeben. Den Wein hinzugießen, die Temperatur stark erhöhen, bis der Wein verdampft ist.

7.

8.

Die Dosentomaten zerstückeln und über das Fleisch geben. Die Petersilie darüber verteilen und die Bouillon zugießen. Kurz die Hitze erhöhen und alles einmal aufwallen lassen.

Die Hitze reduzieren. Topf mit Deckel verschließen und das Osso Buco für eine Stunde im Backofen bei 150 Grad schmoren lassen.

9.

10.

Für die Gremolata glattblättrige Petersilie hacken. Eine unbehandelte Bio-Zitrone heiß waschen und abtrocknen. Die Schale abreiben und unter die Petersilie mischen.

Eine Knoblauchzehe schälen und sehr fein würfeln. Mit der Petersilie und Zitronenschale vermischen. Fertig ist die Gremolata. Petersilie soll die unangenehmen Gerüche, die Knoblauch verursachen kann, eliminieren.

11.

12.

Die Kalbfleischstücke auf einer vorgewärmten Schale anrichten. Das Gemüse mit der Brühe ringsum verteilen. Die Gremolata dicht über das Fleisch streuen.

Zu Osso Buco passen sehr gut Teigwaren, wie Bandnudeln, Makkaroni oder Linguine.

ZÜRCHER GESCHNETZELTES

Der Schweizer Klassiker

Ein Klassiker in der Schweizer Küche ist das „Züri Gschnetzlets". Richtig gut ist es aus dem Kalbs-Schnitzelfleisch. Das Gericht ist schnell gekocht, muss dann aber sofort auf den Tisch. Ein perfektes Timing ist unerlässlich, die typische Beilage Rösti muss zeitgleich bereit sein. Meine Schwiegermutter Elsi beherrschte dies Festtagsgericht mit der bewundernswerten Leichtigkeit einer erfahrenen Schweizer Hausfrau – ich dagegen bin immer sehr erleichtert, wenn es wieder einmal punktgenau geklappt hat.

Zutaten: für 4 Portionen: 600 g Kalbfleisch (aus dem Nuss-Stück der Keule) | 1 Zwiebel | 1 EL Mehl | 50 g Butter | 2 dl heiße Brühe | 2 dl Weißwein | 200 g Sahne | 300 g Champignon | 1 Zitrone | Salz | Pfeffer | Paprika | Petersilie |

Zeit: Fertig in 40 Minuten

ANLEITUNG

1.

2.

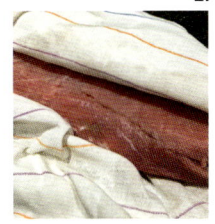

Zuerst alle Zutaten bereitstellen: das Fleisch, das Gemüse, den Wein, die Kräuter und die Gewürze. Die Zitrone auspressen. Die Petersilie fein hacken.

Das Kalbsfilet von Haut und Fett befreien. Unter kaltem Wasser waschen und trockentupfen. Das Kalbfleisch quer zur Faser in kleine dünne Scheiben schneiden und leicht mit Mehl bestäuben.

3.

4.

Champignon putzen und in feine Scheiben schneiden. Die Zwiebel schälen und in feine Würfelchen schneiden.

Die Hälfte der Butter in einer Pfanne stark erhitzen und das Kalbfleisch portionenweise scharf anbraten. Sobald das Fleisch Farbe angenommen hat, herausnehmen und in einer Schüssel warm stellen. Mit der nächsten Portion fortfahren.

5.

6.

In den Bratensatz die restliche Butter geben und die Zwiebeln darin glasig anbraten. Eine Prise Salz zugeben. Mehrfach wenden. Den Wein hinzugießen, die Temperatur stark erhöhen, bis der Wein verdampft ist.

Die heiße Bouillon und die Sahne zugießen. Kurz die Hitze erhöhen und alles einmal aufwallen lassen. Dann bei kleinerer Hitze die Sauce, einköcheln lassen, gelegentlich umrühren.

7.

8.

In einer zweiten Pfanne die Champignons in etwas Butter kurz anbraten. Salz, Pfeffer und ein paar Tropfen Zitronensaft zugeben.

Das Kalbfleisch in die heiße, aber nicht mehr kochende Sauce geben, einmal umrühren und kurz erwärmen.

9.

10.

Das Kalbfleisch mit Salz, Pfeffer, Paprika und etwas Zitronensaft abschmecken.

Beim Servieren die gebratenen Champignons über das Kalbsgeschnetzelte geben und unterheben.

11.

12.

Zum Schluss das Kalbsgeschnetzelte mit gehackter Petersilie bestreuen.

Die typische Beilage zum Zürcher Geschnetzeltes ist Rösti. Das Rezept zu Rösti auf Seite 70.

KALBSRAGOUT

Familientradition

Kalbsragout ist unser Familienrezept. Meine Mutter lernte es von ihrer badischen Schwiegermutter, die eine leidenschaftliche Köchin war. Als einzige Enkelin durfte ich ihr Kochbuch mit vielen persönlichen Einträgen erben. Bei diesem klassischen Rezept werden der Fleischgeschmack und das feine Aroma durch nichts verfälscht. Das Gericht ist einfach und schnell zubereitet. Wichtig ist, dass das Fleisch von bester Qualität, möglichst Bio, ist.

Zutaten: für 4 Portionen: 600 g Kalbsfleisch (Brust, Schulter, Rippe) | 2 EL Rapsöl | 1 Zwiebel | 1 Möhre | 1 Tomate | Zitronensaft | 2 EL Sahne | Salz | 1 TL Zucker | Weißer Pfeffer |

Zeit: Fertig in 45 Minuten

ANLEITUNG

1.

Das Kalbfleisch kalt waschen, gut trocknen, von Haut befreien und in Würfel schneiden.

Bei einem guten Metzger ist das Fleisch auch schon so vorbereitet.

2.

Gewürfeltes Fleisch trocken tupfen. Raps oder Sonnenblumenöl in einem Bräter erhitzen. Fleischwürfel von allen Seiten gut anbraten bis die Poren geschlossen sind. Hitze reduzieren. Bräter mit Deckel schließen. Timer auf 30 Minuten stellen.

3.

Zwiebel und Mohrrübe schälen.

Gemüse in große Stücke zerteilen. Hitze unter dem Bräter erhöhen.

4.

Das Gemüse zum Fleisch geben und anbraten. Danach Hitze reduzieren, Deckel auflegen und weiter bei kleiner Hitze schmoren lassen. Durch das Schmoren entsteht genügend Flüssigkeit, die bei geschossenem Decker erhalten bleibt.

5.

Gelegentlich nachschauen, ob noch genügend Flüssigkeit da ist.

Bei Bedarf etwas Wasser oder Gemüsebrühe zugeben.

6.

Nach einer halben Stunde ist das Ragout fertig und wird mit Salz, Zucker, Weißem Pfeffer und Zitronensaft abgeschmeckt.

7.

Die 2 EL Sahne zugeben.

Wenn die Soße sehr eingekocht ist, darf es auch etwas mehr Sahne sein.

8.

Zum Kalbsragout passen Gemüse wie Brokkoli, Blumenkohl oder Bohnen.

Die klassische Beigabe ist Spätzle. In der schnellen Küche schmeckt auch Weißbrot oder Baguette dazu.

DAS PASST DAZU

Gemüse

Gemüsevariation Seite 60
Blumenkohl Seite 63
Pilzpfanne Seite 68

Spätzle

Das klassische Spätzle-Rezept, so wie es meine badische Großmutter kochte, steht auf Seite 82.

ZITRONEN-HÄHNCHEN

Gelingt immer

Das Zitronen-Hähnchen ist eines meiner ältesten Rezepte - also ein Klassiker -, gelernt in der Frauenfachschule und dann dem Zeitgeist angepasst. Früher im Römertopf, heute in Alufolie. Es ist sehr beliebt bei meinen Gästen, einfach in der Zubereitung und gelingt immer. Die Mengen lassen sich gut an die Anzahl der Gäste anpassen. Drei kleine Hähnchen für sechs Personen (wie hier beschrieben), zwei große Hähnchen für vier Personen (zwei Drittel der Zutaten), ein großes Hähnchen für zwei Personen (die Hälfte der Zutaten).

Zutaten: für 6 Portionen: 3 kleine Hähnchen | 150 g Butter | 4 Zitronen | 2 Zwiebeln | 3 EL Honig | 3 EL körnigen Senf | Pfeffer | Salz | Alufolie

Zeit: Vorbereitung: 20 Minuten | Braten: 70 Minuten | Grillen: 20 Minuten
gesamte Zubereitungszeit: rund 2 Stunden.

ANLEITUNG

1.

Drei frische Hähnchen unter fließendem kalten Wasser innen und außen gut waschen. Den Backofen auf 200 Grad vorheizen.

2.

Die Hähnchen abtrocknen. Innen salzen und pfeffern.

3.

Drei Zitronen auspressen. Die vierte Zitrone in dünne Scheiben schneiden

4.

Zwei Zwiebeln in sehr feine Würfelchen schneiden.

5.

Die Butter in einem kleinen Topf schmelzen lassen. Dann die feingehackten Zwiebelwürfel zugeben, anbraten und wenden. Dann den Honig zugeben und umrühren.

6.

Den körnigen Senf und anschließend den Zitronensaft in die Butter geben, umrühren und den Topf vom Herd nehmen.

7.

Eine Auflaufform mit einer Bahn Alufolie längs und einer quer auslegen. Den Boden mit Salz und Pfeffer bestreuen. Die drei Hähnchen auf die Folie legen und mit den Zitronenscheiben füllen.

8.

Die Hähnchen gleichmäßig mit der Buttermischung beträufeln bis die ganze Hähnchenhaut bedeckt ist. Mit Salz und Pfeffer bestreuen.

9.

Zuerst die eine Bahn der Alufolie über die Hähnchen klappen und schließen, dann die andere Bahn. Die Folie sollte komplett geschlossen sein.

10.

Die Auflaufform mit den Hähnchen in den vorgeheizten Backofen schieben. 70 Minuten bei 180 Grad Umluft backen.

11.

Nach 70 Minuten Backzeit die Folie öffnen. Damit die Hähnchen Farbe bekommen werden sie offen bei 150 Grad Oberhitze um weitere 20 Minuten im Ofen gegrillt.

12.

Die Alufolie vorsichtig unter den Hähnchen herausziehen. Hähnchen im Braten-Zitronensaft servieren. Als Beilage passt Reis und ein gemischter Salat Seite 12.

HÄHNCHENFILET ÜBERBACKEN

Wunderbar für viele Gäste

Dieses praktische Rezept habe ich bei meiner Freundin Karin kennengelernt, die damit eine große Gästerunde aufs Köstlichste bewirtete. Die ganze Vorbereitung wird bereits am Vortag erledigt. In der fertig gefüllten Auflaufform mariniert alles über Nacht, 12 Stunden und mehr. Während der Backzeit lassen sich gut die Beilagen wie z.B. Kartoffeln oder Teigwaren und ein frischer grüner Salat zubereiten. Das Fleisch ist nach der langen Garzeit zart und würzig, Soße und Gemüse irre lecker.

Zutaten: für 8 Portionen: 4 Hähnchenbrüste | 3 Knoblauch-Zehen | 1 Tas Backpflaumen oder Aprikosen | 1 Tas schwarze Oliven | 1 Tas getrocknete Tomaten | 1 Tas Kapern | 1 Glas Tomatenpesto | 2 Tas Rotwein | 1/2 Tas Rotweinessig | 1/2 Tas Olivenöl | 1 EL brauner Zucker | Lorbeerblätter | Zitronenthymian | Pfeffer | Salz |

Zeit: Zubereiten: 30 Minuten | Marinieren 12 bis 18 Stunden | Backen + Grillen: 90 Minuten

ANLEITUNG

1.

Die Rezept-Zutaten in Tassen abmessen und bereitstellen. Zwei Knoblauchzehen fein schneiden, die dritte Zehe wird zum ausreiben der Form verwendet. Bei Abneigung gegen Knoblauch genügt das schon.

2.

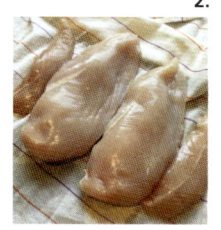

Die vier Hähnchenbrüste zuerst halbieren und dann in flache Scheiben schneiden. Backpflaumen vierteln oder wahlweise getrocknete Aprikosen halbieren. Früchte und Oliven dürfen keine Steine oder Kerne haben.

3.

Eine feuerfeste Auflaufform mit Olivenöl bepinseln. Eine Knoblauchzehe durchschneiden und mit der flachen Seite die Form ausreiben. Dann mit dem Auslegen der untersten Lage beginnen.

4.

Den Boden der Form mit einer Schicht Hähnchenscheiben bedecken. Darüber Früchte, Oliven, Kapern, Lorbeerblätter und Kräuter verteilen.

5.

Die unterste Schicht mit Salz und Pfeffer würzen, etwas Olivenöl und Rotweinessig drüber träufeln.

6.

Es folgt eine weitere Schicht Hähnchenscheiben. Darüber Früchte, Oliven, getrocknete Tomaten, Kapern, Lorbeerblätter und Kräuter verteilen. Darüber die Hälfte des Tomatenpestos verteilen.

7.

Nun die zweite Schicht mit Salz und Pfeffer würzen, etwas Olivenöl und Rotweinessig drüber träufeln.

8.

Mit einer dritten Schicht im gleichen Aufbau ist die Form voll. Reichlich Thymianzweige drüber verteilen und mit dem Rotwein, braunem Zucker und restlichem Essig und Olivenöl alles bedecken.

9.

Auflaufform mit Alufolie gut abdecken und für mindestens zwölf Stunden im Kühlschrank marinieren.

10.

Die abgedeckte Auflaufform in den vorgeheizten Backofen schieben. 60 Minuten bei 180 Grad Umluft backen.

11.

Nach 60 Minuten Backzeit die Folie entfernen. Damit die Hähnchen-filets Farbe bekommen werden sie offen bei 150 Grad Oberhitze um weitere 10 bis 15 Minuten im Ofen gegrillt.

12.

Den mediterranen Hähnchen-Gemüseauflauf in der Auflaufform servieren. Dazu passen Kartoffel oder Teigwaren und ein frischer Salat.

HÄHNCHENBRUST & PAPRIKA

Schnell, leicht und vielseitig

Kaum ein Fleisch ist so vielseitig in der Zubereitung und der Rezeptangebote wie Geflügel. Bei der Hähnchenbrust ist es wichtig, den Moment zu treffen, bei dem das Fleisch gar ist. Das Fleisch wird schnell trocken, wenn es zu lange gegart wird. Aber es schmeckt nicht, wenn es noch nicht gar ist.

Zutaten: für 2 Personen: 2 Hähnchenbrüste | Meersalz | Schwarzer Pfeffer aus der Mühle | 6 EL Olivenöl |

Zeit: Fertig in nur 20 Minuten

1.

Hähnchenbrüste waschen und gut trocken tupfen. Mit etwas Olivenöl einreiben, beide Seiten mit Meersalz und Pfeffer würzen. Das restliche Olivenöl in einer Pfanne erhitzen und die Hähnchenbrüste auf beiden Seiten 4 Minuten braten.

2.

Den Backofen auf 180 Grad vorheizen.
Die Hähnchenbrüste in eine feuerfeste Form legen, den Bratenfond aus der Pfanne darüber träufeln.

3.

Die Form in den heißen Ofen schieben. Je nach Größe der Stücke die Hähnchenbrüste für 8 bis 12 Minuten zu Ende garen und sofort aus dem Ofen nehmen.

4.

Die Hähnchenbrüste auf einem vorgewärmten Teller servieren. Dazu passt das süß-scharfe Paprikagemüse sehr gut (großes Foto), Rezept Seite 66.
Die Hähnchenbrüste schmecken auch kalt als Geflügelsalat gut, Rezepte Seiten 20 + 21.

LAMM MIT ORANGE-INGWER

Ein Hauch von Orient

Ein himmlisches Gericht, das ich aus der Erinnerung nachgekocht habe. Gegessen in einem orientalischen Restaurant: Der Duft von Zimt, die Schärfe vom Ingwer, die Süße der karamellisierten Zucker-Orangensoße ergeben zusammen dies tolle Aroma. Das Fleisch ist fast nebensächlich, verleiht der Soße aber etwas Irdisches.

Zutaten: für 3 Portionen: 6 Lammfilets | 100 g Zucker | 1 Orange | 50 g Ingwer | 100 g Champignon | 6 EL Olivenöl | 2 dl Rotwein | Zimt | Salz | Schwarzer Pfeffer | Kresse |

Zeit: Fertig in 22 Minuten

1.

Zuerst den Zucker in einem Topf erhitzen, bis er karamellisiert. Vom Herd nehmen und etwas abkühlen lassen.

2.

Dann die Orange auspressen und zum karamellisierten Zucker geben. Den Wein nach und nach dazu gießen und köcheln lassen, bis er eingedickt ist. Ingwer in die Soße reiben, mit Zimt würzen.

3.

Die Lammfilets mit etwas Olivenöl einreiben, beide Seiten mit Salz und Pfeffer würzen. Das Olivenöl in einer Pfanne erhitzen und die Lammfilets auf allen Seiten 2 Minuten braten. Das Lamm aus der Pfanne nehmen und ruhen lassen.

4.

Im Lammbratenfond die halbierten Champignons schwenken und kurz anbraten. Die Lammfilets mit dem ausgetretenen Fleischsaft zu den Champignon geben. Das Fleisch mit der Orangen-Soße überziehen. Mit Kresse garnieren.

LAMM-KOTELETTS AUF ROTEM GEMÜSE

Verdammt gut

Richtig gut sind die kleinen Lamm-Koteletts, wenn sie außen knusprig und innen rosa sind.

Der Trick: Scharf anbraten und dann das Fleisch etwas ruhen lassen.

Zutaten: für 3 Portionen: 3 Lammkoteletts | 3 EL Rapsöl | 3 rote Zwiebeln | 3 Lauchzwiebeln | 1 rote Paprika | 3 kleine Tomaten | 3 Champignon | 1 Orange | Kräutersalz | Schwarzer Pfeffer | Onyx Pfeffer | Chili | Zitronen-Thymian |

Zeit: Fertig in 22 Minuten

Beilagen: frischer grüner Salat | Ofenkartoffeln | Kartoffelsalat |

ANLEITUNG

1.

Alle Zutaten bereitstellen. Die Lamm-Koteletts mit Kräutersalz und Schwarzem Pfeffer würzen.

2.

Die roten Zwiebeln schälen und halbieren. Die Lauchzwiebeln putzen und in 5 cm lange Stücke zerteilen.

3.

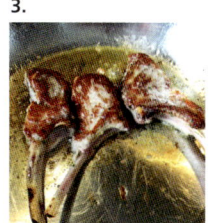

In einer Pfanne das Rapsöl sehr heiß werden lassen und die Lamm-Koteletts von jeder Seite 2 Minuten anbraten, bis sie goldbraun sind.

4.

Nach dem kurzen Anbraten die Lamm-Koteletts seitlich in der Pfanne nebeneinander anrichten. In der Pfannenmitte die Zwiebeln und Lauchzwiebeln bei reduzierter Hitze im Bratenfond anbraten und mehrfach wenden.

5.

Die Lamm-Koteletts aus der Pfanne nehmen und in einer Schale ruhen lassen.

6.

Die rote Paprika vom Kerngehäuse befreien, in Ringe schneiden und im Bratenfond anbraten. Die Tomaten halbieren und mit der Schnittfläche anbraten.

7.

Die Champignons putzen, halbieren und zum Schluss zu dem Gemüse in die Pfanne geben. Kurz von allen Seiten anbraten.

8.

Eine Orange auspressen und den Saft dazugeben, etwas einkochen lassen.

9.

Das Gemüse mit Chili, Onix Pfeffer und Kräutersalz abschmecken.

10.

Von den Zitronen-Thymian-Zweigen Blättchen abzupfen und gut unter das Gemüse mischen, sodass sich das Aroma entfalten kann.

11.

Die Lamm-Koteletts mit dem ausgetretenen Fleischsaft zurück in die heiße Pfanne geben. Das Fleisch mit den restlichen Zitronen-Thymian-Zweigen bestreuen.

12.

Die Lamm-Koteletts auf dem roten Gemüse anrichten. Dazu passt Kartoffelsalat, Seite 106 oder Ofenkartoffeln, Seite 72 oder grüner Salat, Seite 12.

OSTER-LAMM-FILET

Traditionell und modern

Lamm oder Gizi ist in der Ostschweiz das traditionelle Osteressen. Dieses wunderbare Ostermenü verdanke ich meiner Schwiegermutter Elsi, das ich nur geringfügig mit ein paar Zutaten (Wein, Datteln, Walnusskerne) erweitert habe. Auch wenn das Rezept für 4 Personen angegeben ist, reicht es bis für 8 Gäste. Die Lammfilets sind unterschiedlich groß (für große und kleine Fleischesser), bei Bedarf ein paar Beilagen mehr - und alle werden satt.

Zutaten: für 4 - 8 Portionen: 8 Lammfilets | 2 rote Zwiebeln | 250 g Champignon | 4 kleine Paprika | 3 Lauchzwiebeln | 3 EL Rapsöl | 2 dl Rotwein | 50 g Datteln | Muskat | Zimt | Meersalz | Schwarzer Pfeffer | Onyx Pfeffer | 8 Walnüsse | Kresse |

Zeit: Vorbereitung: 20 Minuten | Backen: 15 Minuten |

Beilagen: frischer grüner Salat | Ofenkartoffeln | Rösti |

ANLEITUNG

1.

Alle Zutaten bereitstellen.

2.

In einer großen Pfanne das Rapsöl sehr heiß werden lassen und die Lammfilets schnell anbraten.

3.

Damit die Lammfilets sich nicht zusammenrollen, müssen sie sofort beim Anbraten mit einem Deckel flach gedrückt werden.

4.

Nach dem kurzen Anbraten die Lammfilets in einer Auflaufform nebeneinander anrichten.

5.

Die Zwiebeln schälen, in Ringe schneiden und im Bratenfond anbraten. Eine Prise Salz zufügen.

6.

Die Champignons putzen, halbieren und zu den Zwiebeln in die Pfanne geben. Von allen Seiten anbraten.

7.

Die Champignon-Zwiebelmischung über die Lammfilets verteilen.

8.

Die kleinen scharfen Paprikas vom Kerngehäuse befreien und in Streifen schneiden.
Die Lauchzwiebeln putzen und in Ringe schneiden.

9.

Das restliche Bratfett mit etwas Öl ergänzen, erhitzen und die Paprikastreifen, Lauchröllchen und Datteln darin kurz anschmoren. Mit dem Rotwein löschen.

10.

Das Gemüse mit Meersalz, Pfeffer, Zimt, Muskat abschmecken und über die Lammfilets verteilen. Etwa für 15 Minuten in den auf 180 Grad vorgeheizten Backofen schieben.

11.

Die Walnusskerne hacken, und in einer trockenen, heißen Pfanne kurz rösten.

12.

Die überbackenen Lammfilets mit den gerösteten Walnusskernen und reichlich Kresse bestreuen.

KANINCHEN AN SAUERRAHM

Sehr pikant

Als ich bei meiner Freundin Teddy dieses Gericht kennengelernt habe, war ich begeistert. Das magere Kaninchenfleisch in Kombination mit der säuerlichen Soße ist sehr pikant. Das Gericht ist einfach und schnell zubereitet. Wichtig ist nur, dass das Fleisch von bester Qualität, möglichst Bio, ist. Mit den Gemüsebeigaben variiere ich, je nach Jahreszeit und Angebot.

Zutaten: für 4 Portionen: 1 Kaninchen | 2 EL Rapsöl | 3 Zwiebeln | 1 Möhre | 1 Stück Sellerie | 1 Tomate | Senf | 250 g Sauerrahm oder Crème fraîche | Salz | 1 TL Zucker | Zitronensaft | Weißer Pfeffer | Petersilie | **Variationen:** Paprika | Blumenkohl | Lauchzwiebeln | Knoblauch | Rosmarin |

Zeit: Zubereitung: 30 Minuten | Backen: 60 Minuten

Beilagen: Champignon, Austernpilze und Kartoffeln

ANLEITUNG

1.

2.

Alle Zutaten bereitstellen: das Fleisch, das Gemüse, den Sauerrahm, die Kräuter und die Gewürze. Das Kaninchen kalt waschen, gut trocknen, in große Stücke zerteilen. Den Backofen auf 150 Grad vorheizen.

Möhren und Sellerie schälen, putzen und in große Stücke schneiden. Blumenkohl putzen und in kleine Röschen zerteilen. Zwiebeln schälen und in Viertel zerteilen. Lauchzwiebeln putzen und in Stücke schneiden.

3.

4.

Tomate und eventuell eine Paprika in große Stücke zerteilen. Die Tomate wird in der langen Garzeit vollständig aufgelöst, unterstützt aber mit ihrem süßsauren Saft das Aroma der Soße.

Das zerteilte Kaninchen mit Salz und Pfeffer würzen und mit Senf bestreichen.

5.

6.

In einer Pfanne Rapsöl erhitzen. Die Kaninchenteile nacheinander in der Pfanne kross von allen Seiten anbraten. Danach in eine feuerfeste Backform legen. Im restlichen Öl die Zwiebelstücke anbraten.

Die Zwiebelstücke über den Kaninchen verteilen. Knoblauch, Rosmarin und etwas Brühe zugeben. Dann das Gemüse zum Fleisch geben und die Backform im Ofen bei 180 Grad für 50 Minuten schmoren lassen.

7.

8.

Nach 50 Minuten Backzeit den Sauerrahm zugeben. Die Form für weitere 10 Minuten in den Ofen schieben. Wenn die Soße sehr eingekocht ist, etwas Sahne oder Bouillon nachfüllen.

Die Soße mit Salz, Zucker, Senf, Zitronensaft und Weißem Pfeffer abschmecken. Mit gehackter Petersilie bestreuen.
Das Kaninchen an Sauerrahm kann in der Ofenform serviert werden.

DAS PASST DAZU

Kartoffeln

Pilze

MUTTIS KÄ[SE...]

Die flüssige Butter in eine
Kule im Mehl/Mondamin
geben und verrühren.
Die restlichen Zutaten
zugeben u[nd] den Teig
[k]ne[ten. I]n eine gebutter-
[te F]orm mit hohem
Rand [d]rücken.

[Qua]r[k] mit Zucker, Mondamin und [...]
bis er geschm[...]
schale abrei[b...]
Eiweiss sehr s[...]
vorsichtig daru[...]
Dann die Quar[k...]
noch in die sp[...]
Backofen auf ni[...]
*Korrektur von M[...]
nur 3/4 noch e[...]
Backzeit im Ga[...]
auf Stufe 6 u[...]
40 Minuten a[...]
sofort rausne[...]
einem Tuch ab[...]
kühlen lassen.

BODE[N...]
100g M[...]
100g MO[...]
1/2 TL BA[...]
1 El, S[...]
100g BU[...]
100g VAN[...]
1 VANILLZ[...]

Mutti bei der Käsetorte,
mit 30-jähriger Übung

84

154

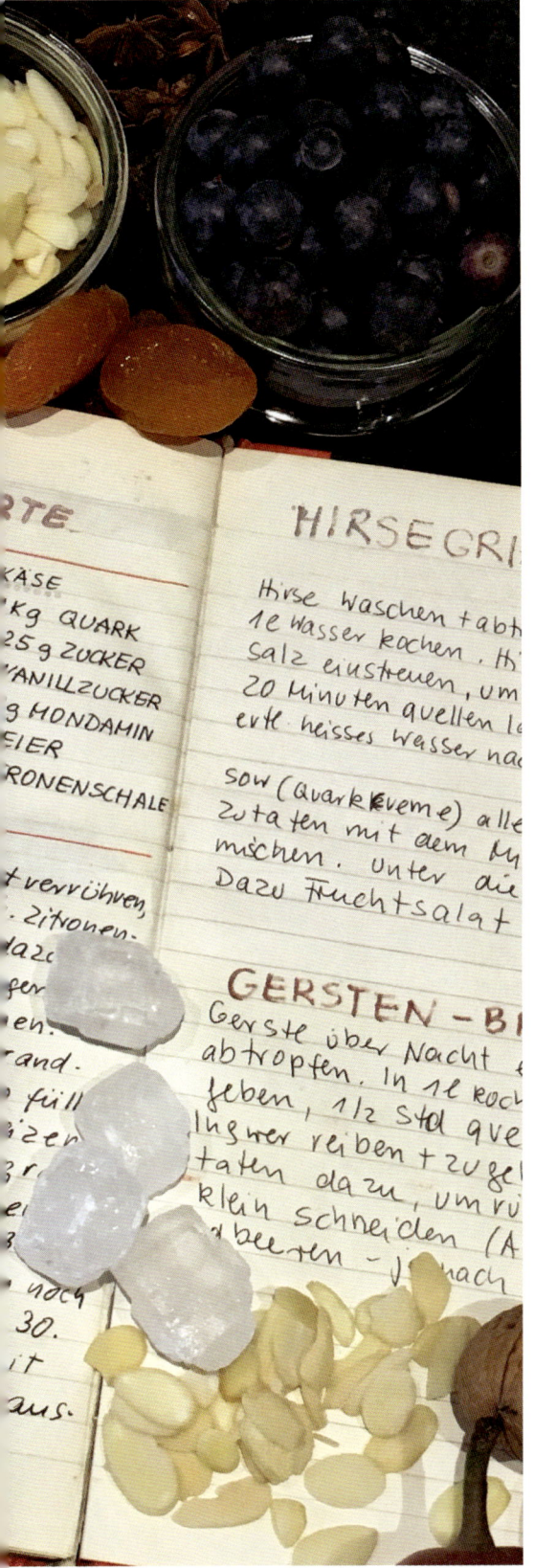

SÜSSES
&
KUCHEN

OBST-KUCHEN

Für Überraschungsgäste

Dieser frische Obstkuchen gelingt immer – selbst wenn der Tortenboden nicht selbstgebacken ist. Es ist gut für Überraschungsgäste einen Boden als Vorrat zu haben. Die Creme als Basis macht den Kuchen zu etwas Besonderem und den klassischen Tortenguss eigentlich überflüssig.

Zutaten: für 12 Portionen: **Boden** Mürbeteig Rezept Seite 164 oder Fertig-Tortenboden | **Belag** je 100 g Erdbeeren | Himbeeren | kernlose Trauben | Blaubeeren | 2 Kiwis | **Creme** Crème fraîche | 1 EL Zucker | Saft 1/2 Orange | 1 EL Maracuja-Sirup | 1 EL Mango Chutney | **Guss** 1 Pck.Tortenguss | 1 Pck. Vanillezucker | Saft 1/2 Orange | 1 EL Maracuja-Sirup |

Zeit: Fertig in rund 30 Minuten

ANLEITUNG

1.

2.

Tortenboden backen und auskühlen lassen. Das Obst und die Zutaten für die Creme und den Tortenguss bereit legen.

Das Obst in einem Sieb kurz unter kaltem Wasser abspülen und trocken tupfen. Erdbeeren und kernlose Trauben halbieren.

3.

4.

Die Kiwis schälen, vierteln und den weißen Strunk in der Mitte entfernen. Dann die Viertel in Streifen schneiden. Eine Orange oder Mandarine auspressen.

Für die Creme die Crème fraîche, Zucker, Orangensaft, Maracuja-Sirup, Mango Chutney in eine Schüssel geben.

5.

6.

Die Creme-Zutaten mit dem Schneebesen schaumig schlagen.

Den Kuchenboden auf eine Servierplatte legen und dick mit der Creme bestreichen

7.

8.

Nun nach Belieben die Obststücke auf dem Kuchenboden verteilen.

Ob der Belag bunt, zweifarbig oder Ton in Ton gestaltet wird, hängt vom jahreszeitlichen Angebot oder persönlichem Geschmack ab.

9.

10.

Garniert wird der Obstkuchen mit geraspelten Mandeln. Besonders pikant wird es, wenn die Mandelscheiben kurz in einer trockenen Pfanne geröstet wurden.

Der Obstkuchen ist fertig – kann aber bei Bedarf mit Tortenguss überzogen werden.
Päckchen Tortenguss, Vanillezucker, Maracuja-Sirup, Orangensaft, bereit stellen.

11.

12.

Den Tortenguss nach Angabe auf der Verpackung zubereiten. Abschmecken mit Vanillezucker, Maracuja-Sirup und Orangensaft.

Den Tortenguss etwas abkühlen lassen und dann über dem Obst verteilen. Den Kuchen erst anschneiden, wenn der Guss fest geworden ist.

TRÄUBLES-KUCHEN

Hessische Spezialität

Dieser Johannisbeer-Kuchen mit Baiserhaube ist ein Rezept von meiner Tante Henny aus Hessen, die mich als Kind – aber auch später – mit wunderbaren Obst-Kuchen verwöhnt hat. Ich habe alle ihre Rezepte und dieses ist eines für ganz besondere Anlässe. Tante Henny hatte einen großen Obstgarten und sich darauf spezialisiert, alte Obstsorten anzupflanzen und sie zu verwerten: Kuchen backen und Konfitüre einkochen waren ihre Lust und Leidenschaft.

Zutaten: für 12 Portionen: **Boden** 250 g Mehl (Weizen + Emmermehl) | 200 g Butter | 1 EL Back-pulver | 75 g Zucker | 6 Eigelb | 50 g gemahlene Mandeln | **Belag** | 500 g rote Johannis-beeren (frisch oder tiefgefroren) | 250 g Zucker | 6 Eiweiß | Pr Salz | 2 EL Speisestärke |

Zeit: Zubereitung: 45 Minuten | Backen: 40-60 Minuten

ANLEITUNG

1.

Die Zutaten für den Kuchen wiegen und abmessen, alles bereitstellen. Mehl und Backpulver in einer Schüssel mischen. Zucker und Butter schnell zu einem geschmeidigen Teig verarbeiten.

2.

Die Eier trennen. Das Eigelb zum Teig geben und gut durchkneten.

3.

Teig in Folie eingepackt 30 Minuten im Kühlschrank ruhen lassen. Das Eiweiß ebenfalls kühl stellen.

4.

Das Obst in einem Sieb kurz unter kaltem Wasser abspülen und trocken tupfen.
Die Johannisbeeren von den Stielen zupfen. Ein Trick: die Stengel durch eine Gabel ziehen.
Gefrorenes Obst im Sieb antauen und abtropfen lassen.

5.

Das gekühlte Eiweiß mit einer Prise Salz zu sehr steifem Schnee schlagen,

Eine Springform mit etwas Butter einfetten, oder mit Backpapier auslegen und nur den Rand einfetten.

6.

In den steifen Eischnee langsam den Zucker und die Speisestärke unterheben.

Den Backofen auf 180 Grad vorheizen.

7.

Den Teig in einer Springform auslegen und dabei einen 3 cm hohen Rand andrücken.
Teig mehrmals mit der Gabel einstechen.
Den Boden 10 Minuten vorbacken bei 200 Grad.

8.

Den vorgebackenen Boden mit den gemahlenen Mandeln bestreuen.

9.

Eischneemasse auf dem Boden verteilen, glattstreichen. Zum Schluss vorsichtig die Johannisbeeren dazu mischen.

10.

Die Backform im vorgeheizten Ofen bei 180 Grad Ober- und Unterhitze (160 Grad Umluft) auf mittlerer Schiene 40 Minuten backen.
Wenn das Baiser zu stark bräunt, mit Pergamentpapier abdecken und die Backzeit um 10 Minuten verlängern.

11.

Den Kuchen bei geöffneter Backofentür 5 Minuten abkühlen lassen.

Die Springform auf einen Rost stellen, dann den Rand vorsichtig öffnen.

12.

Nach der Abkühlzeit den Träubles-Kuchen auf die Servierplatte schieben. Den Kuchen erst anschneiden wenn er kalt ist.
Der Träubles-Kuchen schmeckt am besten am gleichen Tag, bevor die Baiserhaube und der Boden weich wird.

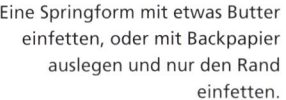

MUTTIS KÄSETORTE

Familienerinnerung

Dieses Rezept war der Klassiker der Backkünste meiner Mutter. Für ihre Käsetorte wurde sie hochgelobt. Alle Freunde, Gäste und die ganze Familie wollten immer wieder nur diese Käsetorte. Dabei konnte meine Mutter auch ganz vorzüglich andere Kuchen backen – aber die Käsetorte wurde immer wieder nachgefragt.

Zutaten: für 12 Portionen: **Boden** 100 g Mehl | 100 g Speisestärke | 1 TL Backpulver | 1 Ei | 100 g Butter | 75 g Zucker | 1 Vanillezucker | **Creme** 1 kg Schichtkäse | 225 g Zucker | 1 Vanillezucker | 30 g Speisestärke | 4 Eier | Zitronenschale |

Zeit: Zubereitung: 30 Minuten | Ruhen: 30 Minuten | Backen: 70 Minuten |

ANLEITUNG

1.

Die Zutaten für den Kuchen wiegen und abmessen, alles bereitstellen.

2.

Die flüssige Butter in eine Kuhle in der Mehl und Speisestärke-Mischung geben und verrühren.

3.

Die restlichen Zutaten zu einem Teig kneten.

4.

Eine Springform mit der Butter einfetten. Den Backofen auf 160 Grad vorheizen.
Den Teig in die Form drücken und einen 3 cm hohen Rand aufbauen.

5.

Den Quark mit Zucker, Vanillezucker und Speisestärke gut verrühren, bis er eine geschmeidige Creme ist.

6.

Zitronenschale abreiben und zur Quark-Creme geben.

7.

Die vier Eier trennen. Das Eigelb zur Quark-Creme geben Das Eiweiß in einen Mixbecher füllen.

8.

Das Eiweiß sehr steif schlagen und vorsichtig unter die Quark-Creme mischen.

9.

Die Quark-Creme in die Springform füllen. Die Creme sollte die Backform 3/4 hoch füllen.

10.

Die Backform im vorgeheizten Ofen bei 180 Grad Ober- und Unterhitze (160 Grad Umluft) auf mittlerer Schiene 30 Minuten backen.
Danach die Temperatur auf die Hälfte reduzieren und weitere 40 Minuten backen.

11.

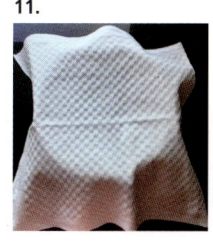

Den Kuchen herausnehmen und auf einen Rost stellen, mit einem Tuch abdecken. Nach einer halben Stunde den Rand der Springform vorsichtig öffnen. Nach einer weiteren Abkühlzeit den Kuchen auf die Servierplatte schieben.

12.

Den Käse-Kuchen erst anschneiden wenn er kalt ist.

ORANGEN-MANDEL-TARTE

Ohne Mehl und ohne Butter

Feiert Karin ihren Geburtstag, zieht gerne ein Hauch Orient in Düsseldorf ein. Mal probieren wir alle den neuesten Hüftschwung vom letzten Bauchtanzkurs - mal schwelgen wir in dieser orientalischen Tarte. Mit der Orangen-Mandel-Tarte hat Karin ihre Freundinnen-Runde restlos begeistert. Denn das Kuchenrezept kommt ohne die klassischen Zutaten wie Mehl und Butter aus. Dafür zaubern Orangen und Mandeln einen Augen- und Gaumenschmaus, der erfrischend leicht und locker ist.

Zutaten: für 12 Portionen: 3 Eier | 125 g Zucker | 1 Vanillezucker | 3 Orangen | 150 g gemahlene Mandeln | 2 TL Backpulver | 1 Prise Salz | 1 TL Butter für Backform | **Belag** 3 EL Aprikosenmarmelade | 1 EL gehobelte Mandeln | 1 Zweig Rosmarin |

Zeit: Vorbereitung: 20 Minuten | Backen: 50 Minuten | Anrichten: 20 Minuten

ANLEITUNG

1.

Die Zutaten für den Kuchen wiegen und abmessen, alles bereitstellen.

2.

Die drei Eier aufschlagen und mit dem Zucker und Vanillezucker schaumig rühren.

3.

Eine halbe Orange auspressen und den Saft zusammen mit den gemahlenen Mandeln zum Eischaum hinzufügen.

4.

Die Eier-Mandel-Masse mit dem Backpulver und der Prise Salz zu einem glatten Teig verrühren.

5.

Eine kleine Springform (Durchmesser ca. 20 cm) mit der Butter einfetten oder mit Backpapier auslegen und nur den Rand einfetten. Den Backofen auf 160 Grad vorheizen.

6.

Den Teig in die gebutterte Springform einfüllen, glatt streichen.

7.

Die Orangen mit dem Messer so schälen, dass die weiße Haut mit entfernt ist. Die Orangen in dünne Scheiben schneiden, den weißen Mittelteil entfernen.

8.

Die Orangenscheiben auf dem Teig verteilen. Die Backform im vorgeheizten Ofen bei 180 Grad Ober- und Unterhitze (160 Grad Umluft) auf mittlerer Schiene 50 Minuten backen.

9.

Den Kuchen bei geöffneter Backofentür 5 Minuten abkühlen lassen. Die Springform auf einen Rost stellen, dann den Rand vorsichtig öffnen. Nach einer halben Stunde Abkühlzeit den Kuchen auf die Servierplatte schieben.

10.

Die Marmelade erwärmen und den Kuchen damit bestreichen.

11.

Die gehobelten Mandeln in einer trockenen Pfanne anrösten und über den Kuchen streuen. Vom Rosmarinzweig einzelne Nadeln zupfen und den Kuchen damit garnieren.

12.

Den Kuchen erst anschneiden wenn er kalt ist. Das Messer sollte scharf sein, denn die Orangenscheiben lassen sich manchmal schwer teilen.

KLASSISCHER MÜRBETEIG

Ein guter Boden für viele Möglichkeiten

Der klassische Mürbeteig ist ideal für Obstkuchen, für Tartes, Quiches und Wähe, denn er verhindert das Durchweichen von feuchtem Belag. Die Teigherstellung erfordert etwas Geschick. Der Teig wird rasch mit dem Mehl vermischt. Bei zu warmem Fett oder auch nach zu langem Kneten wird der Teig leicht brandig (bröselig), d.h. Fett und Mehlteilchen trennen sich. Den Mürbeteig kühl lagern und nach 30 Minuten Ruhezeit weiter als Kuchen verarbeiten.

Zutaten: für 1 **Tortenboden**: 250 g Mehl | 125 g kalte Butter | 1 Ei | 1 TL Salz | 1-2 EL Wasser |
                Süße Variante 75 g Zucker | **Rezepte:** Tomaten-Wähe 98 | Pizza 99 | Obst-Kuchen 156 |

Zeit: Zubereitung: 10 Minuten | Kühlen: 30 Min | Backen: 15-20 Minuten

1.

Das Mehl und das Salz in einer Schüssel mischen. Die Butter in kleine Stücke schneiden, mit dem Mehl zwischen den Fingern krümelig reiben.

2.

Das Ei und das Wasser beigeben, rasch zu einem Teig zusammenfügen. Nicht kneten.

3.

Teig in Frischhaltefolie gewickelt mind. 30 Minuten in den Kühlschrank geben. Mit einem Nudelholz rund ausrollen oder den Teig direkt in eine gefettete Springform flach ausdrücken. Mit einer Gabel mehrfach einstechen.

4.

Damit der Teigboden knusprig wird, die Form in der unteren Hälfte des Backofens auf einen Rost stellen. Boden ohne Inhalt: 10-15 Minuten bei 180 Grad hellgelb backen. Boden mit Inhalt: nach Rezept belegen, 15-20 Minuten bei 180 Grad backen.

GRIESSFLAMMERI + BEEREN

Nicht nur ein Augenschmaus

Als Kind begeisterte mich das Märchen vom Schlaraffenland, wo der Grießbrei ohne Ende aus dem Töpfchen quillt. Statt endloser Völlerei nun höchster Genuss: Der Grießbrei ist in ein paar Minuten gemacht. Leicht und luftig wird der Flammeri durch den untergezogenen Eischnee. Zu einem Augenschmaus wird er durch die Beeren in der Fruchtsoße, deren Zusammenstellung je nach Jahreszeit und Angebot variieren kann.

Zutaten: für 4 Portionen: 1/2 Liter Milch | 50 g Grieß | 1 Pck. Vanillezucker | 2 EL Zucker | 1 Ei | Salz |
Früchte je 100 g Erdbeeren | Himbeeren | Cranberries | Blaubeeren | **Fruchtsoße** 125 ml Sirup

Zeit: Zubereitung: 20 Minuten | Ruhezeit: ca. 2 Stunden

1.

Die Milch aufkochen lassen. Den Grieß einstreuen, die Hitze reduzieren und so lang mit einem Schneebesen rühren, bis der Grießbrei dick wird, ca. 3 - 4 Minuten. Zucker und Vanillezucker zum Grieß geben. Den Grieß vom Herd nehmen.

2.

Das Ei trennen. Das Eiweiß mit einer Prise Salz sehr steif schlagen. Das Eigelb mit 2 EL Grießbrei anrühren und anschließend unter den Grieß rühren. Den Eischnee vorsichtig unterziehen. Eine Schale mit kaltem Wasser ausspülen, den Grieß einfüllen und kalt stellen.

3.

Das Obst in einem Sieb kurz unter kaltem Wasser abspülen und trocken tupfen. Erdbeeren halbieren. Stiele und Blättchen entfernen.

4.

Den Grießflammeri auf eine Platte stürzen. Die Fruchtsoße dekorativ über den Flammeri gießen. Die Beeren in der Soße verteilen. Mit essbaren Blüten oder Minzeblättern dekorieren.

REISBREI ZUCKER&ZIMT

Kindertraum

Reisbrei ist der Klassiker in der deutschen Küche schlechthin. Meine Mutter kochte ihn für meinen Bruder und mich. Wir liebten ihn, nicht nur, weil auf dem Boden eine kleine Überraschung wartete. Reisbrei war sicher eines der ersten Gerichte, das ich schon als Kind kochen konnte. Schwer ist es nicht – aber man muss aufpassen: Die Milch kann überkochen, der Brei kann anbrennen. Also rühren, rühren und das mit Geduld.

Zutaten: für 6 Portionen: 1 Liter Milch | 175 g Milchreis | 1 EL Sahne | 1 EL Butter | 2 EL brauner Zucker | Zimt | **Überraschung**: pro Portion wahlweise 1 Dattel oder 4 Rosinen, 1 Mandel, 1 Nuss |

Zeit: Fertig in 40 Minuten

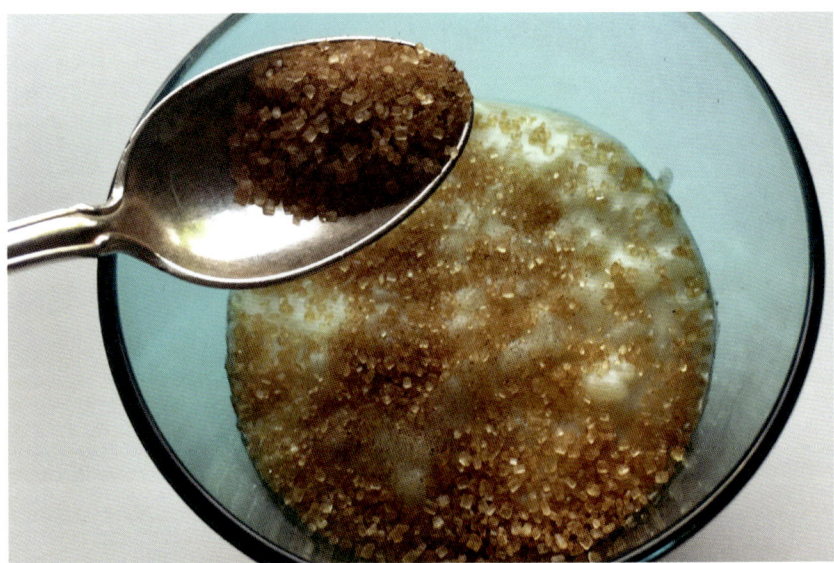

1.

1 Liter Milch aufkochen lassen. Den Milchreis einstreuen, die Hitze auf ganz klein reduzieren und eine halbe Stunde lang mit einem Schneebesen rühren.

2.

Nach einer halben Stunde ist der Reisbrei fest geworden.
Nun wird er mit einem Stück Butter, etwas Sahne und 1 EL Zucker verfeinert. Danach noch einmal kräftig mit dem Schneebesen aufrühren.
Hitze ausschalten.

3.

Für die Überraschung wahlweise eine Dattel fein würfeln, eine Mandel oder Nuss hacken oder ein paar Rosinen auf den Boden der Schale legen.

4.

Schalen mit Reisbrei füllen.
Den restlichen Zucker mit einer Prise Zimt vermischen.
Den Reisbrei mit der Zimt-Zuckermischung bestreuen.

HIRSEBREI MIT SOW

Afrikanische Impressionen

Die Afrika-Freunde Karin und Klaus gewannen für ihr Sommerfest einen afrikanischen Koch, der dieses exotische Dessert zubereitete. Der Sow, ein süßer Hirsebrei, lebt vom Kontrast mit den Früchten, aber auch von dem bissfesten Korn, das etwas nussiges hat. Je nach Jahreszeit kann man den Fruchtsalat wunderbar variieren.

Zutaten: für 12 Portionen: **Brei** 125 g Hirse | 1/2 Liter Wasser | Salz | **Sow:** 250 g Quark | 250 g Crème fraîche | 100 g Kondensmilch | 4 Pck. Vanillezucker | 150 g Zucker | 1 Orange | **Früchte** je 100 g Mango | Melone | Orange | Erdbeeren | Himbeeren | Blaubeeren | **Fruchtsoße** 125 ml Erdbeer-Sirup |

Zeit: Zubereitung: 40 Minuten | Ruhezeit: 30 Minuten

1.

Die Hirse in einem Sieb heiß abspülen, mit Wasser und einer Prise Salz 5 Minuten köcheln lassen und zugedeckt 25 Minuten quellen lassen. Ab und zu umrühren.

2.

Für den Fruchtsalat Mango, Melone und Erdbeeren in kleine Stücke schneiden. Himbeeren und Blaubeeren dazugeben. Den Fruchtsalat mit Orangen- und Limonensaft, Sirup und Vanillezucker anmachen. Danach für 30 Minuten ruhen lassen.

3.

Eine Orange auspressen. Quark, Crème fraîche, Kondensmilch mit dem Zucker, Vanillezucker und Orangensaft zu einer cremigen Masse mit dem Schneebesen aufschlagen.

4.

Quark-Creme zum Hirsebrei geben und mit einem Schneebesen kräftig umrühren bis alles gut vermischt ist. Den Fruchtsalat zusammen mit dem Hirsebrei dekorativ anrichten. Siehe Bild oben.

MELISSE-MINZE-DRINK

Drink ohne Alkohol

Der Melisse-Minze-Drink ist ein herrlich erfrischendes Sommergetränk. Wer Melisse und Minze im Garten oder auf dem Balkon hat, ist gut versorgt. Denn beide Kräuter wachsen im Nu nach. Der Melisse-Minze-Drink schmeckt in Zimmertemperatur gut, kann aber auch mit Eiswürfeln gekühlt werden.

Zutaten: für 16 Portionen: 200 g frische Zitronenmelisse | 50 g frische Minze | 100 ml Limetten-Melissen-Sirup | 1 Stück Ingwer | 3 Limetten | 1/2 l Wasser | 2 Flaschen Wasser mit Sprudel |

Zeit: Zubereitung: 20 Minuten | Ruhezeit: 30 Minuten

1.

Frische Zitronenmelisse und Minzezweige putzen, vorsichtig in stehendem Wasser waschen und trocken schleudern.

2.

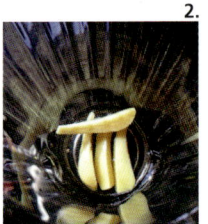

Das Ingwerstück schälen und in große Stücke zerteilen. Ingwer in einen großen, hitzebeständigen Glaskrug geben.
Den Sirup zum Ingwer geben.

3.

Die Hälfte der Kräuter zum Ingwer geben und mit kochendem Wasser überbrühen. Den Kräutertee 30 Minuten ziehen und abkühlen lassen. Die überbrühten Kräuter herausnehmen und durch die frischen Kräutern ersetzen.

4.

Limetten vierteln und zu den Kräutern geben. Den Glaskrug mit gekühltem Sprudelwasser auffüllen. Der Melisse-Minze-Drink schmeckt in Zimmertemperatur gut, kann aber auch mit Eiswürfeln gekühlt werden.

ROSEN-ERDBEER-BOWLE

Für das Sommerfest

Auf einer Sommerparty ist die Rosen-Erdbeer-Bowle immer ein Highlight. Sie lässt sich, Stunden bevor die Gäste kommen, vorbereiten und ist ein prickelnd-erfrischender Empfang. Macht garantiert schnell gute Stimmung, schmückt den Gartentisch und wird mit den eingelegten Erdbeeren zur Schlemmerei.

Zutaten: für 16 Portionen: 40 g Rosenblätter | 500 g Erdbeeren | 50 g Zucker | 300 ml Bitterlikör (Campari, Aperol) | 2 EL Rosenwasser | 2 Flaschen Prosecco (Rose-Cava) |

Zeit: Zubereitung: 20 Minuten | Ruhezeit: 1 Stunde

1.

Rosenblätter von frischen, ungespritzten Rosen zupfen. Nur die schönsten Blütenblätter verwenden.

2.

Erdbeeren putzen, von den Stängeln befreien und halbieren. Mit Zucker und Bitterlikör mindestens 1 Stunde lang kalt marinieren.

3.

Die marinierten Erdbeeren kurz vor dem Servieren in eine Bowlenschale füllen. Mit eiskaltem Prosecco und Rosenwasser auffüllen. Rosenblätter darüber streuen.

4.

Die Rosenbowle kalt servieren. Gläser mit Rosenblättern garnieren. Wer es besonders kalt mag, gibt noch ein paar Eiswürfel dazu.

BEGRIFFE UND TIPPS

Kleine Kochschule

Da die Rezepte in diesem Buch aus den unterschiedlichsten Quellen stammen, sind sowohl die Maßangaben, wie auch die Kochbegriffe breit gefächert. Dieser Überblick, so hoffe ich, bringt die nötige Klarheit.

Begriffe in der Küche

Blanchieren bedeutet etwas kurz überkochen.

Dünsten bedeutet in wenig Flüssigkeit garen.

Emulgieren bedeutet Wasser und Öl verbinden.

Gratinieren bedeutet überbacken, überkrusten.

Marinieren bedeutet in etwas (Öl, Essig, Alkohol, Gewürze) einlegen.

Sautieren bedeutet anbraten, anschwitzen.

Welche Öle für welchen Zweck?

Öl ist nicht gleich Öl und für verschiedene Einsatzbereiche sind auch unterschiedliche Öle zu empfehlen.

Scharf anbraten (zum Beispiel Fleisch): Sonnenblumen- Raps- oder Bratöl. Diese Öle sind auch bei hohen Temperaturen stabil und beginnen nicht zu rauchen.

Sanft anbraten (zum Beispiel Fisch, Zwiebel oder Gemüse): Hier eignet sich auch Olivenöl.

Kalte Speisen (wie Salate): Hier besticht Olivenöl durch seine Geschmacksnuancen. Von fruchtig, pfeffrig bis zitronig gibt Olivenöl den besonderen geschmacklichen Pfiff.

Butter

Butter ist gut als Geschmacksverstärker. Zum Anbraten ungünstig, da Butter spritzt und leicht verbrennt.

Ghee (Butterschmalz) als gesunde Alternative ist hoch erhitzbar und somit zum scharf Anbraten geeignet. Spritzt nicht, weil es kein Wasser enthält.

Maßeinheiten für die Küche

Begriff	Kürzel	Menge
Milligramm	mg	0,001 g
Gramm	g	10 mg
Pfund	pfd	500 g
Kilogramm	kg	1000 g
Milliliter	ml	0,001 l
Centiliter	cl	0,01 l
Deziliter	dl	0,1 l
Liter	l	1000 ml
Maß	maß	2 Liter
Tropfen	Tr	1/15 ml
Spritzer	Sp	2-5 Tropfen
Schuss	/	ca. 0,1 cl
Prise	Pr	Menge zw. Daumen und Zeigefinger
Messerspitze	Msp	1-3 Prisen
Teelöffel	TL	5 ml
Esslöffel	EL	15 ml
Tasse	Tas	200 ml
Bund	Bd	/
Scheibe	Sc	25 - 30 g

Meine wichtigsten Küchenhelfer:

• zwei gute Messer: ein kleines Gemüsemesser, zum Schälen und klein Schneiden; ein großes Messer, um Fleisch und Gemüse klein zu schneiden

• eine oder mehrere Tassen (2 dl) zum Abmessen

• ein Sparschäler

• ein Teigschaber

• ein Schneebesen, ein Pürierstab/Stabmixer

• eine Küchenreibe, ein Gemüsehobel

• mehrere Rührschüsseln

• zwei Schneidebretter (groß und klein)

• eine Küchenwaage.

REZEPTE

von A bis Z

QUELL VERLAG

FÜR NACHHALTIGES LEBEN

Nachdenklich und nutzwertig

Nachhaltigkeit hat viele Facetten. Sie reichen vom Dreiklang von Ökologie, Ökonomie und Sozialem bis hin zum bewussten Konsum. Mit seinen Publikationen widmet sich der Quell Verlag dem Thema Nachhaltigkeit in allen Lebensbereichen.

Das Magazin Quell
Thema der Herbstausgabe 2018:
Gesund Essen

Das Magazin Quell berichtet vierteljährlich über Konsumentscheidungen und Verhaltensweisen, die zu einem nachhaltigen Lebensstil gehören. „Inspirationen für bewusstes Leben" zu geben, lautet die Mission von Quell. Das Themenspektrum reicht von Naturheilmitteln bis zum Energiesparen, von traditionell hergestellten Lebensmitteln bis zur ethischen Geldanlage. Mit der Winterausgabe 2016 wandelten wir uns von der Zeitung zum Magazin und kamen damit den Wünschen unserer Leserinnen und Leser in Sachen Benutzerfreundlichkeit entgegen.

Das Internet-Portal www.quell-online.de bietet flankierend zum Magazin wertvolle Zusatzinformationen und macht die Berichte von Quell für die Leserschaft digital zugänglich.

In unserem Internet-Shop bieten wir ein kleines, aber feines Sortiment von Produkten, die dem Kriterium der Nachhaltigkeit genügen und die es im Handel oft nicht zu kaufen gibt. Zu bestellen ist unser Nachhaltigkeits-Sortiment telefonisch unter T 02236-949 11 30 (Mo-Fr 8-12 Uhr) oder unter www.quell-shop.de

www.quell-online.de

Im Internet finden Sie die aktuelle Ausgabe
von Quell in elektronischer Form.
Oder fordern Sie ein Probemagazin an:
Quell-Leserservice, Saalgasse 12,
60311 Frankfurt, T 069 – 21 99 49 40
info@quell-online.de

Quell

BUCHSORTIMENT

Anleitungen zur Selbstwirksamkeit

Die Bücher der Quell Edition greifen sowohl Themen einer zukunftsorientierten Gesellschafts- und Wirtschaftspolitik auf, als auch Themen der eigenverantwortlichen Lebensgestaltung. Die Bücher erhalten Sie im Buchhandel oder direkt beim Verlag versandkostenfrei | www.quell-shop.de | T 02236 - 9491130 (Mo - Fr 8 - 12 Uhr) |

Andrea Tichy: Lebendiges Wasser – Energiequell des Körpers

200 Seiten | Quell Edition | 2016 ISBN 978-3-9815402-3-9 | 19,90 Euro Klar – Wasser ist unser Lebensmittel Nummer eins. Aber neue Forschungsergebnisse deuten darauf hin: Wasser ist viel mehr, „lebendiges Wasser" könnte sogar ein universelles Heilmittel sein. Fest steht schon heute: Das richtige Wasser vermag viel Positives für den Menschen zu bewirken.

Michael Rogall: HaarSprechStunde

Gesunde Lösungen für schönes Haar | 200 Seiten | Quell Edition | 6. Auflage 2016 | ISBN 978-3-9812667-8-8 | 22,90 Euro Noch nie gab es so viele Kopfhaut- und Haarprobleme wie heute. In seinem Ratgeber beschreibt der Kölner Haarpraktiker Michael Rogall wertvolle Experten-Tipps zur effektiven Selbsthilfe bei Haarausfall, Schuppen und geschädigtem Haar.

Andrea Tichy: Die besten Dinge kosten nichts

Sieben wirksame Verhaltensweisen, die uns gesünder, glücklicher und gelassener machen. 184 Seiten | Quell Edition | 2014 ISBN 978-3-9815402-4-6 | 17,90 Euro Dieses Buch versammelt beeindruckende Beweise dafür, dass die Natur und unsere unmittelbare Umgebung eine breite Palette an kostenlosen Heilmitteln und Glücksquellen zu bieten hat.

Michael Rogall: MännerHaarSprechstunde

Gesunde Lösungen für den Mann, sein Haar und seinen Bart. | 176 Seiten | Quell Edition | 2015 | ISBN 978-3-9815402-7-7 | 19,90 Euro Michael Rogall kennt die Nöte der Männer wie kaum ein anderer. Durch die Beschaffenheit von Haar, Kopfhaut und Bart kann er Rückschlüsse auf Herausforderungen in ihrem Alltag ziehen und sie dabei unterstützen, ein gesünderes und erfüllteres Leben zu führen.

Bernd Meyer, Monika Frei-Herrmann: Jeder Mensch isst anders

Kochkurs: Schnell und gesund schlank schlemmen 64 Seiten | Spiralbindung Quell Edition | 3. Aufl. März 2011 14,90 Euro | ISBN 978-3-9812667-2-6 Das Kochbuch basiert auf einem Kochkurs von Profikoch und metabolic balance®-Ausbilder Bernd Meyer, den M. Frei-Herrmann in vielen Fotos festhielt und zu dem Kochbuch bündelte.

Ursula Lang: Vinaigre de Toilette – Quell natürlicher Schönheit

36 Seiten | Format 10,5 x 14,8 cm | Booklet | Quell Edition | 3. Aufl. 2016 ISBN 978-3-9812667-4-0 | 2,95 Euro Die Apothekerin Dr. Ursula J. Lang hat die erstaunlichen Wirkungen von Vinaigre de Toilette wiederentdeckt und ihr Wissen rund um die Körper- und Schönheitspflege der „Belle Epoque" in diesem Booklet zusammengefasst.

DIE MACHERINNEN

Mit Spaß und Leidenschaft bei der Sache

Im Quell Verlag leisten wir uns den Luxus, nur Bücher zu machen, von denen wir zu hundert Prozent überzeugt sind und auf die wir so richtig Lust haben. Naturgemäß sind das nur wenige Bücher und in manchen Jahren machen wir gar keines. „Mein kulinarisches Erbe" erscheint nun nach längerer Vorbereitung in der Quell Edition.

Auf der Quell-Verlagstagung 2017 im Kurhaus Menschels entstand die Idee zu diesem Kochbuch.
v.l.n.r.: Claudia Schwarzmaier, Monika Frei-Herrmann, Andrea Tichy

Die Autorin: Monika Frei-Herrmann ist Grafikerin und Fotografin. Sie ist spezialisiert auf das Gestalten von Medien (www.frei-herrmann.de) und verantwortet von Anfang an die grafische Gestaltung der Verlagsprodukte von Quell. Monika Frei-Herrmann lebt und arbeitet in Köln und widmet sich über ihre gestalterische Arbeit hinaus mit Leidenschaft der Fotografie. So dokumentierte sie mit der Kamera den Kochkurs von Profikoch Bernd Meyer und gestaltete daraus das Buch „Jeder Mensch isst anders". In der Serie „Step by Step" im Magazin Quell erklärt Monika Frei-Herrmann, wie sich hochwertiges Essen frisch und schnell zubereiten lässt. So entstand die Idee zum Kochbuch „Mein kulinarisches Erbe". Bei dem Projekt hatte sie in vielerlei Hinsicht die volle Unterstützung von Herausgeberin und Lektorin: Sie beteiligten sich mit Genuss am Aufessen der fotografierten Rezepte.

Die Herausgeberin: Andrea Tichy ist Volkswirtin und Journalistin. Seit vielen Jahren beschäftigt sie sich mit den Themen Ökologie, Gesundheit und Nachhaltigkeit. Vor zwölf Jahren gründete sie die Zeitung Quell. Andrea Tichy ist auch als Autorin aktiv: Das Buchprojekt „Lebendiges Wasser" ist Ergebnis ihrer langjährigen Recherchen rund um die Qualitäten von Wasser und wird von ihr in aktualisierten Auflagen fortgeschrieben.

Die Lektorin: Claudia Schwarzmaier ist selbständige Marketingberaterin (www.c4roots.de). Dem Thema Nachhaltigkeit fühlt sie sich seit ihrem Volkswirtschaftsstudium verbunden. Sie unterstützte das Buchprojekt durch ihr Interesse als Spätberufene in Sachen Kochen. Dank ihrer kritischen Nachfragen ist das Buch auch von all jenen einfach zu nutzen, die regionale Frischküche und traditionelle Rezepte neu entdecken möchten.